Handwriting Without Tears®
by Learning Without Tears

Nombre:

Escribe el nombre del alumno

Letras y Números Para Mí

autobús   cruza   para

LEARNING
Without Tears®

8001 MacArthur Blvd
Cabin John, MD 20818
LWTears.com | 888.983.8409

Autores: Jan Z. Olsen, OTR, Sergio Martínez
Contribuidora de contenido curricular: Mariana Carazo, MA
Ilustradoras: Jan Z. Olsen, OTR, Julie Koborg
Diseñadoras gráficas: Carol Johnston, Julie Koborg

Copyright © 2022 Learning Without Tears
Sexta Edición
ISBN: 978-1-954728-02-8
123456789ADP242322
Printed in the USA

Querido Alumno,

Este es tu libro.

Aprenderás a escribir.

Aprenderás los números.

También, podrás colorear.

Jan Z. Olsen

A	B	C	D	E	F	G	H	I	J	K	L	M	N	Ñ	O	P	Q	R	S	T	U	V	W	X	Y	Z
22	11	20	10	9	9	21	14	23	24	14	15	12	12	12	20	10	21	11	22	23	15	16	16	17	17	18

ÍNDICE

Cómo Empezar

Preparándonos para Imprenta

Mayúsculas

Mayúsculas de Brinco de Rana

Los números se enseñan con las mayúsculas.

Mayúsculas Empezando en la Esquina

Mayúsculas Empezando en el Centro

Repaso

Letras Minúsculas

Igual a las Mayúsculas + l, t, z

Letras de la c Mágica

Repaso

© 2022 Learning Without Tears

a	b	c	d	e	f	g	h	i	j	k	l	m	n	ñ	o	p	q	r	s	t	u	v	w	x	y	z
38	60	28	39	47	61	40	59	46	51	48	34	57	55	56	29	52	62	54	30	35	44	32	33	64	50	36

Los números se enseñan con las mayúsculas.

Colocación del Papel y Manejo del Lápiz

CON LA IZQUIERDA
Coloca la esquina izquierda más arriba.

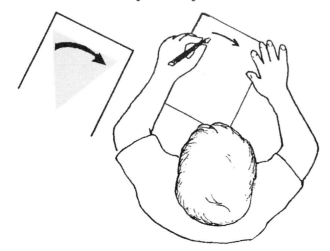

CON LA DERECHA
Coloca la esquina derecha más arriba.

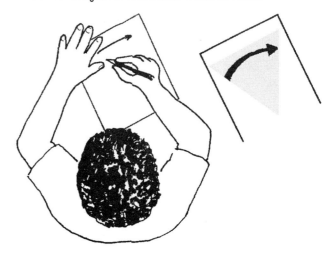

El borrador del lápiz apunta al hombro **izquierdo**.

Empuñadura común: Sujeta el lápiz **con dedo pulgar + dedo índice.**

El lápiz descansa sobre el dedo del medio.

El borrador del lápiz apunta al hombro **derecho**.

Empuñadura alternativa: Sujeta el lápiz **con dedo pulgar + dedos índice y medio.**

El lápiz descansa sobre el dedo anular o del anillo.

Aprende y Verifica

Aprende letras, palabras, oraciones y cómo verificarlas.

Cuando aparezca este cuadrado ☐, es tiempo de verificar tu trabajo.

 **Verifica la letra**   Maestros: Ayuden a los alumnos a verificar ☑ el comienzo, los pasos y el contacto con líneas.

1. Comienza correctamente.

2. Haz cada paso.

3. Choca las líneas.

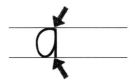

 **Verifica la palabra**   Maestros: Ayuden a los alumnos a verificar ☑ el tamaño, la colocación y la proximidad.

1. Haz las letras del tamaño correcto.

2. Coloca correctamente las letras altas, cortas y las descendentes.

3. Pon las letras cerca.

Alta   **Corta**   **Descendente**

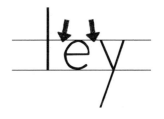

Verifica la oración   Maestros: Ayuden a los alumnos a ☑ verificar las mayúsculas, los espacios y la puntuación.

1. Comienza con una mayúscula.

2. Deja espacio entre las palabras.

3. Termina con un **.** y también empieza y termina con **¿?** o **¡!**

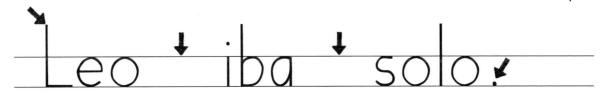

Mayúsculas, Minúsculas y Números

AYÚDAME A ESCRIBIR MI NOMBRE

Haz brillar a las estrellas.

Repasa y agrega más líneas espirales.

El maestro demuestra.
El alumno copia debajo.

Nombre:

Nombre:

Agrégale más pasto.

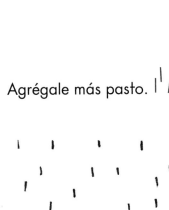

MAYÚSCULAS DE BRINCO DE RANA

F E D P B R N Ñ M son las letras Mayúsculas de **Brinco de Rana**.

Esquina de Partida   Línea Grande   ¡Salta!   Línea Pequeña   Línea Pequeña

Las Mayúsculas de **Brinco de Rana** empiezan sobre el punto que hay en la Esquina de Partida.

Haz una Línea Grande hacia abajo.

Haz un **Brinco de Rana** volviendo a la Esquina de Partida.

Ahora podrás terminar la letra.

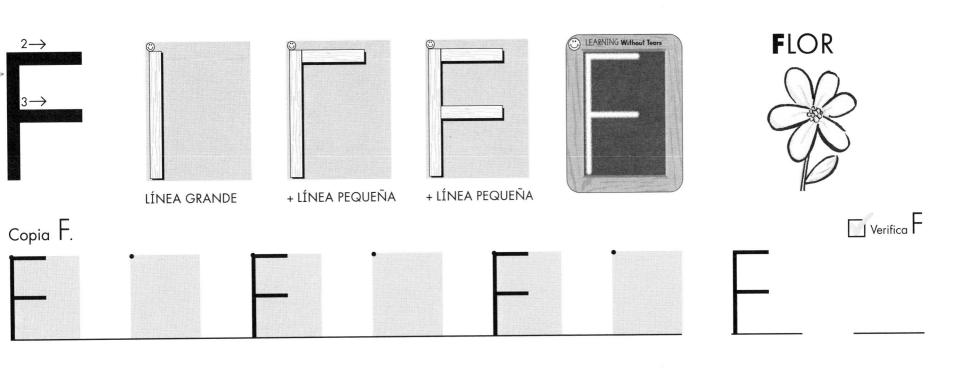

FLOR

LÍNEA GRANDE   + LÍNEA PEQUEÑA   + LÍNEA PEQUEÑA

Copia F.

Verifica F

ELEFANTE

LÍNEA GRANDE   + LÍNEA PEQUEÑA   + LÍNEA PEQUEÑA   + LÍNEA PEQUEÑA

Copia E.

Verifica E

✓ Verifica la letra.   Maestros: Ayuden a los niños a ✓ verificar el comienzo, los pasos y chocar las líneas.   *Letras y Números Para Mí*

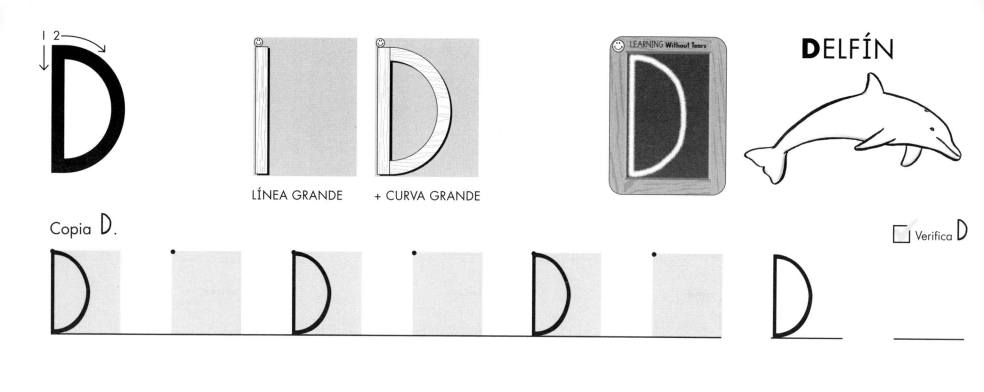

DELFÍN

LÍNEA GRANDE   + CURVA GRANDE

Copia D.

☑ Verifica D

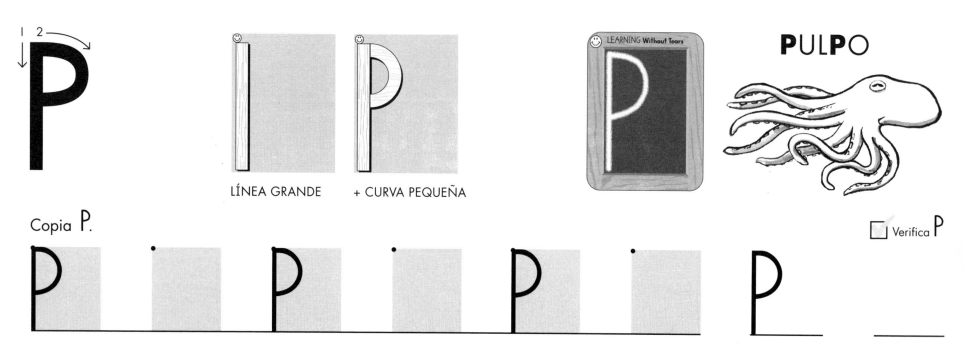

PULP**O**

LÍNEA GRANDE   + CURVA PEQUEÑA

Copia P.

☑ Verifica P

B

LÍNEA GRANDE

+ CURVA PEQUEÑA

+ CURVA PEQUEÑA

BANANA

Copia B.

☐ Verifica B

B   B   B   B   ___

R

LÍNEA GRANDE

+ CURVA PEQUEÑA

+ LÍNEA PEQUEÑA

REINA

Copia R.

☐ Verifica R

R   R   R   R   ___

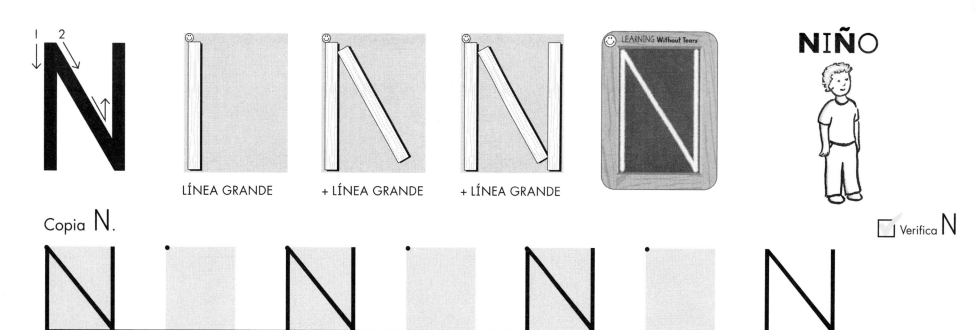

NIÑO

Copia N.

☐ Verifica N

La Ñ es una letra del abecedario español. Se parece a la N pero lleva una virgulilla (tilde) arriba.

MANZANA

Copia M.

☐ Verifica M

MAYÚSCULAS DE BRINCO DE RANA

Empieza en la Esquina de Partida. Haz una Línea Grande hacia abajo.
Haz un Brinco de Rana de vuelta a la Esquina de Partida. Termina la letra.

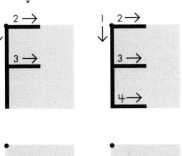 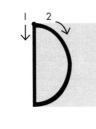 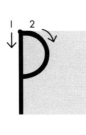  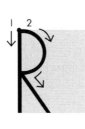 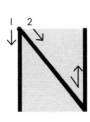 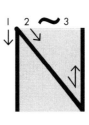 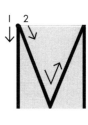

JUEGO MISTERIOSO CON MAYÚSCULAS DE BRINCO DE RANA

Empieza en la Esquina de Partida. Haz una Línea Grande hacia abajo. Haz un Brinco de Rana hasta la Esquina de Partida.
Espera hasta que tu maestro te diga cuál Mayúscula de Brinco de Rana debes hacer.

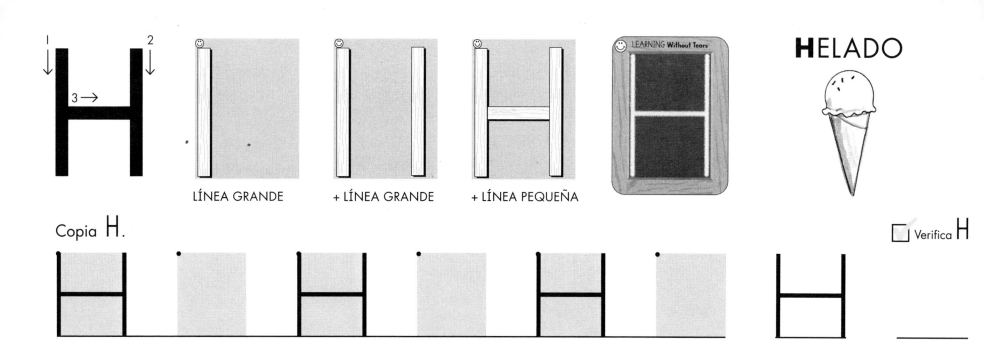

H

LÍNEA GRANDE + LÍNEA GRANDE + LÍNEA PEQUEÑA

HELADO

Copia H.

☐ Verifica H

K

LÍNEA GRANDE + LÍNEA PEQUEÑA + LÍNEA PEQUEÑA

KOALA

Copia K.

☐ Verifica K

L

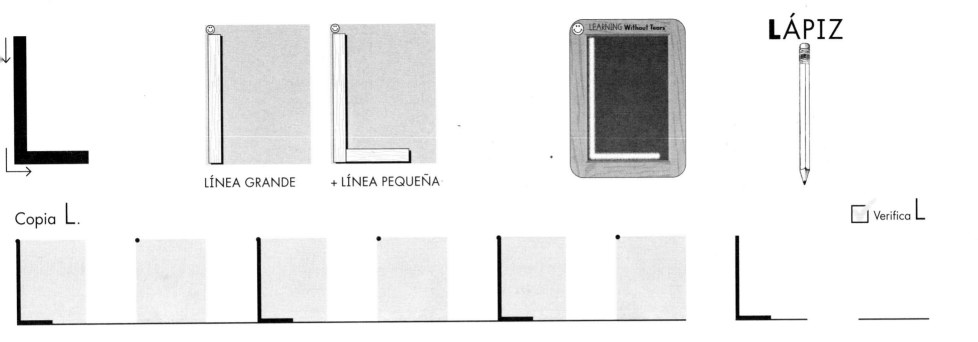

LÍNEA GRANDE + LÍNEA PEQUEÑA

LEARNING Without Tears

LÁPIZ

Copia L.

Verifica L

U

Nota: No usamos las Piezas de Madera para enseñar la letra U mayúscula.

LEARNING Without Tears

UNICORNIO

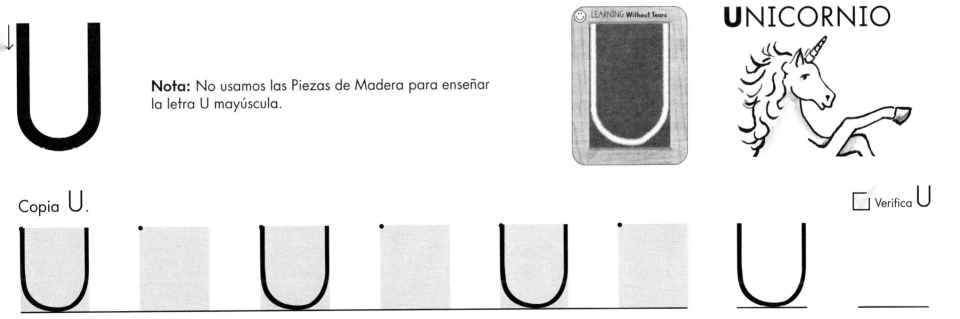

Copia U.

Verifica U

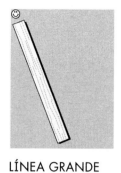

LÍNEA GRANDE   + LÍNEA GRANDE

VENADO

Copia V.

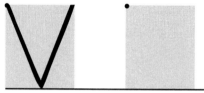

☑ Verifica V

V ___

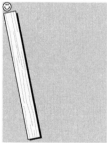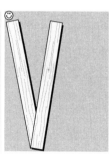

LÍNEA GRANDE   + LÍNEA GRANDE   + LÍNEA GRANDE   + LÍNEA GRANDE

WILLIAM
SHAKESPEARE

Copia W.

☑ Verifica W

W ___

X

LÍNEA GRANDE   + LÍNEA GRANDE

RAYOS X

Copia X.

Verifica X

---

y

LÍNEA PEQUEÑA   + LÍNEA GRANDE

YOGUR

YOGUR

Copia y.

Verifica y

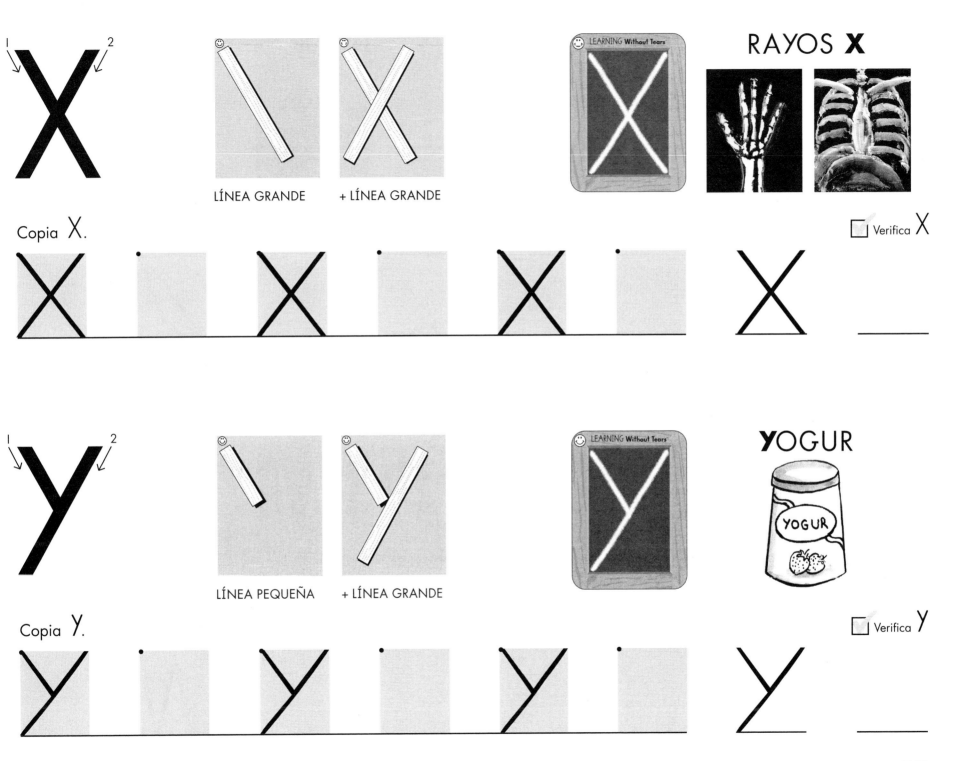

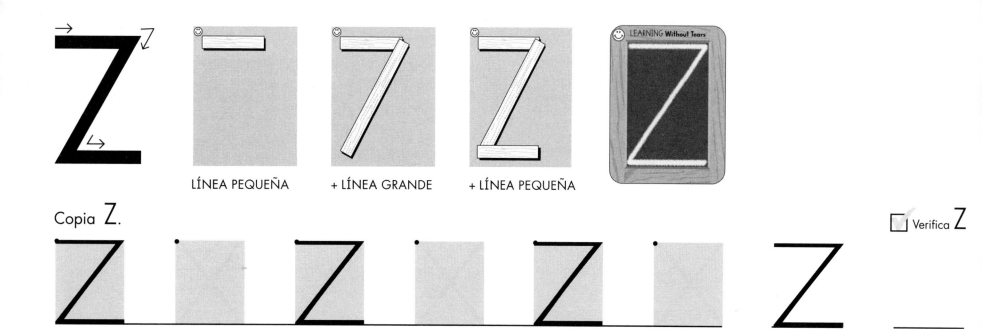

LÍNEA PEQUEÑA +LÍNEA GRANDE +LÍNEA PEQUEÑA

Copia Z.

Verifica Z

ZANAHORIA

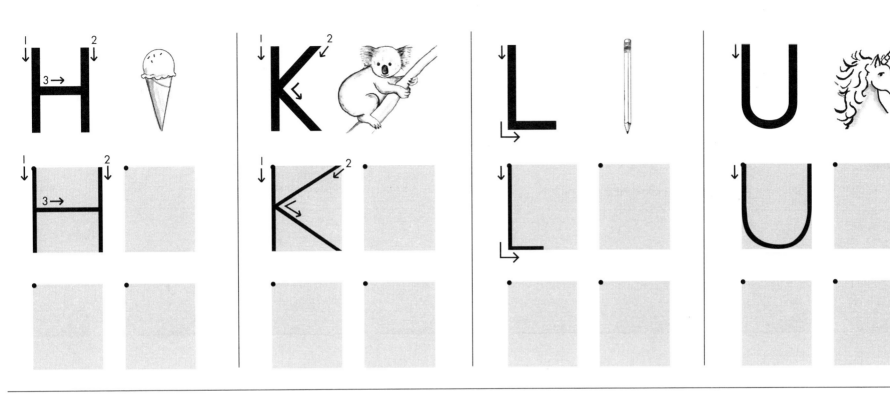

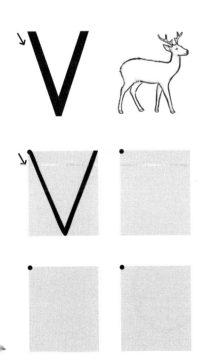

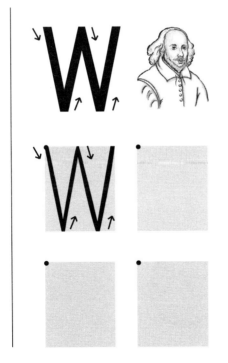

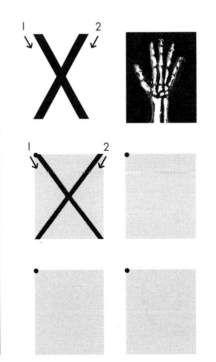

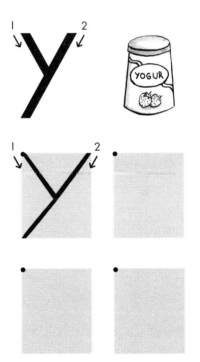

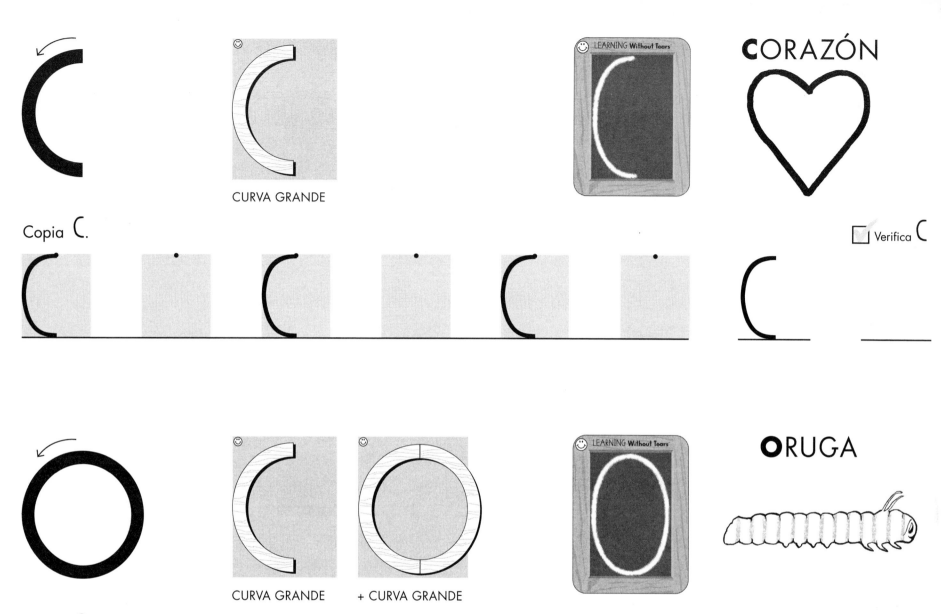

CURVA GRANDE

CORAZÓN

Copia C.

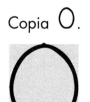     

CURVA GRANDE   **+ CURVA GRANDE**

ORUGA

Copia O.

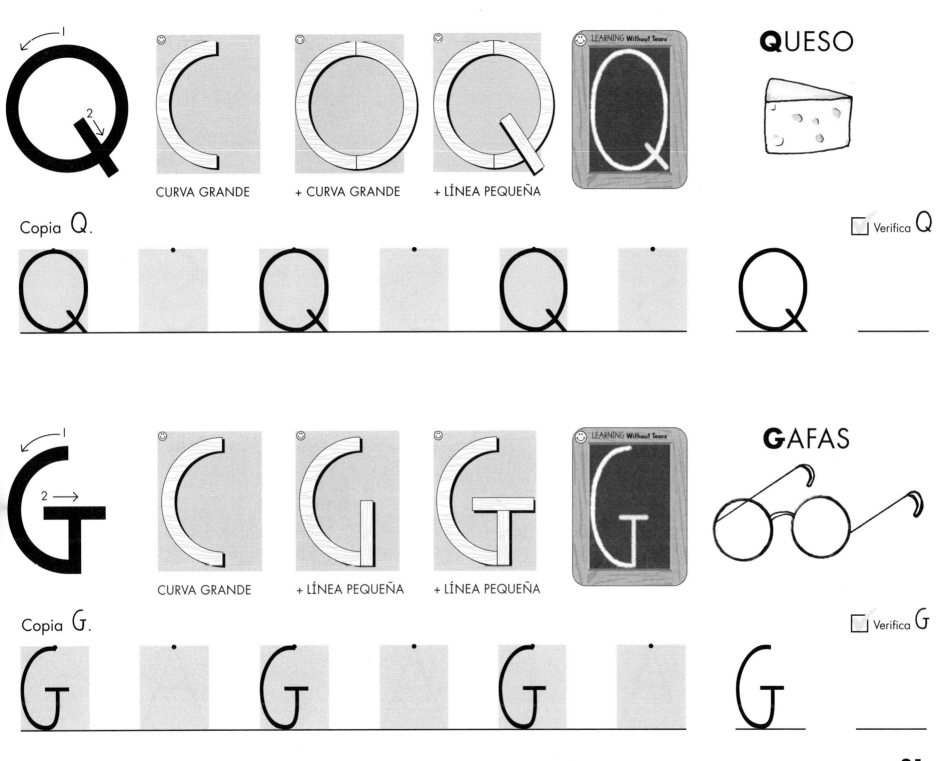

QUESO

CURVA GRANDE   + CURVA GRANDE   + LÍNEA PEQUEÑA

Copia Q.   Verifica Q

GAFAS

CURVA GRANDE   + LÍNEA PEQUEÑA   + LÍNEA PEQUEÑA

Copia G.   Verifica G

CURVA PEQUEÑA + CURVA PEQUEÑA

SOMBRERO

Copia S.

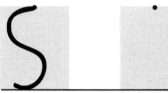  

☑ Verifica S

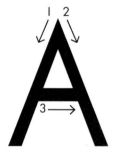     

LÍNEA GRANDE + LÍNEA GRANDE + LÍNEA PEQUEÑA

ALFOMBR**A**

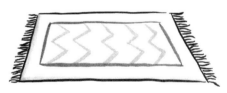

Copia A.

☑ Verifica A

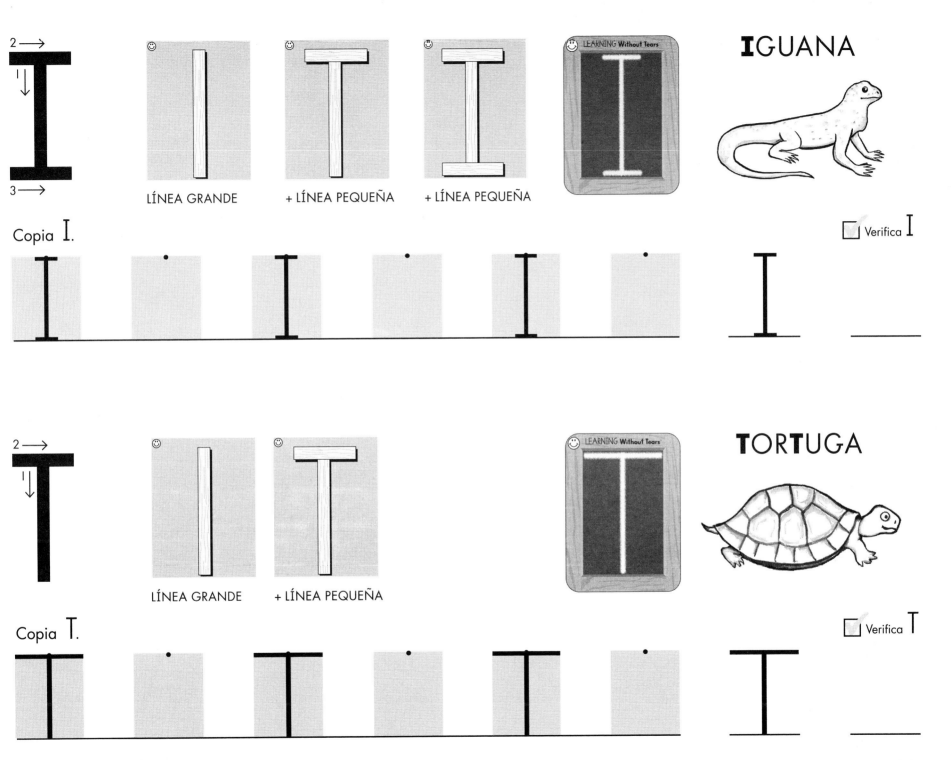

IGUANA

LÍNEA GRANDE + LÍNEA PEQUEÑA + LÍNEA PEQUEÑA

Copia I.

Verifica I

TORTUGA

LÍNEA GRANDE + LÍNEA PEQUEÑA

Copia T.

Verifica T

Letras y Números Para Mí **23**

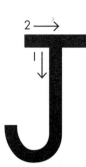

Nota: No usamos las Piezas de Madera para enseñar la letra mayúscula J.

Copia J.

  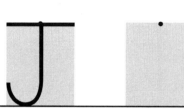 

JIRAFA

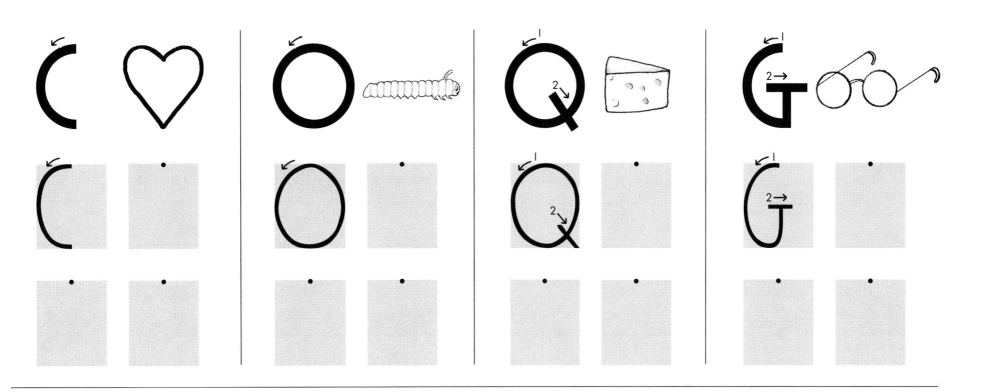

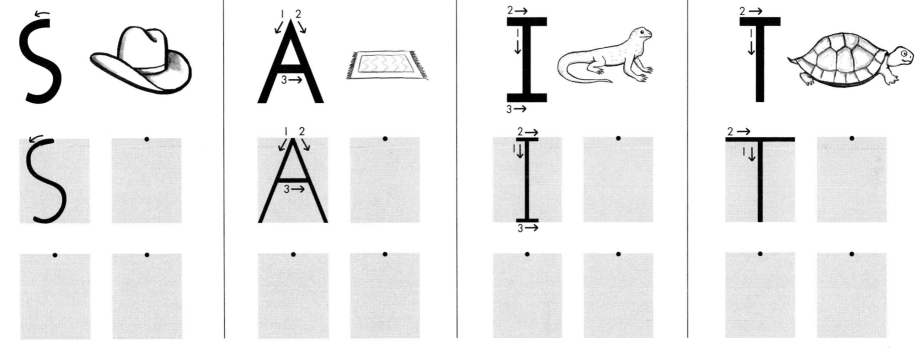

MAYÚSCULAS PARA MÍ

Empieza en el punto. Copia las letras mayúsculas.

A B C D E F G H I

J K L M N Ñ O P Q

R S T U V W X Y Z

Letras Minúsculas

Unas son pequeñas.

Algunas son altas.

Otras pasan por debajo de la línea.

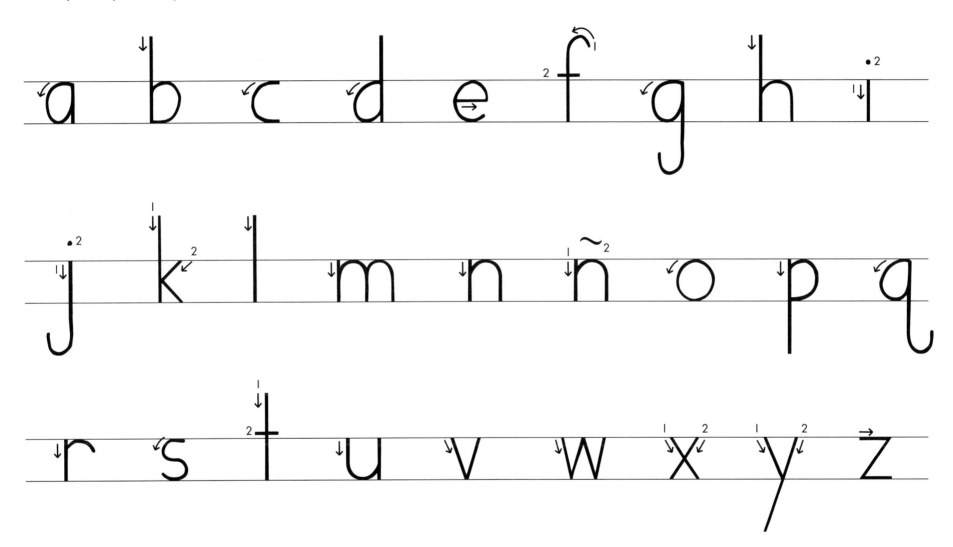

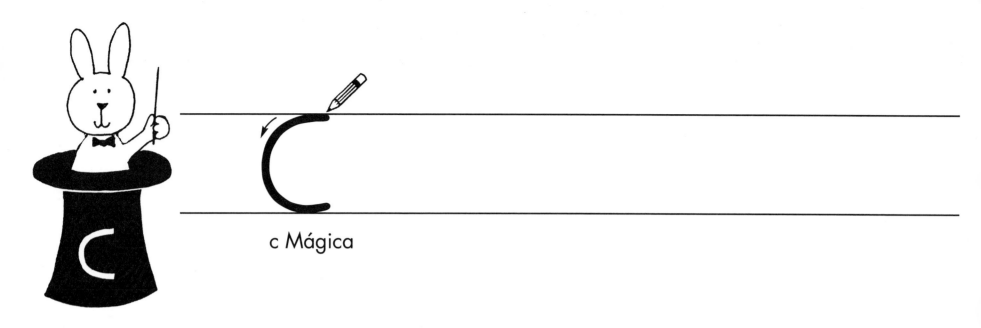

c Mágica

Empieza en el punto. Copia C.

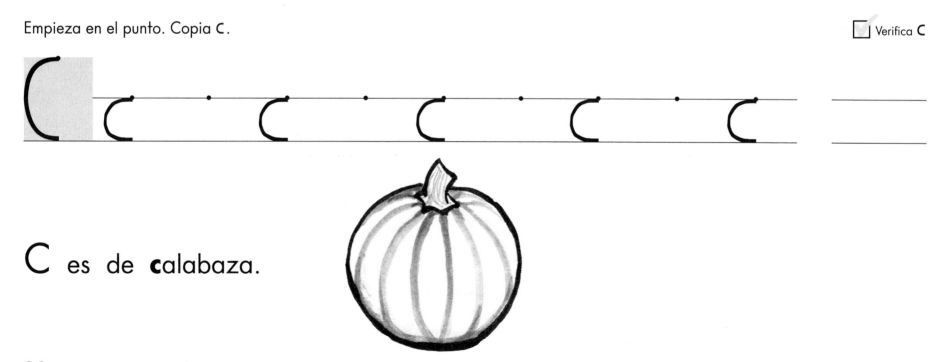

C es de **c**alabaza.

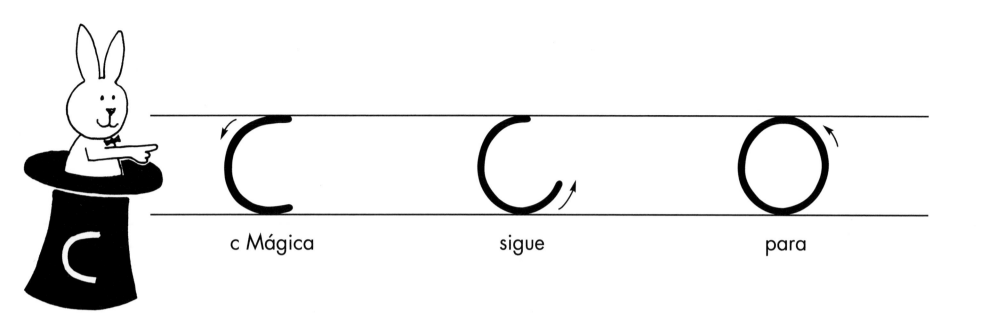

c Mágica

sigue

para

Empieza en el punto. Copia O y Ó.

O es de **o**s**o** p**o**lar.

c Mágica
pequeña

c Mágica pequeña

dobla hacia
abajo

vuelve con
otra curva

Empieza en el punto. Copia S.

S es de **s**illa.

Palabras con s

Empieza en el punto. Repasa s.

sapo

saco

sandía

sol

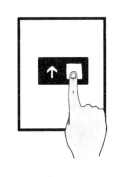

sube

sueña

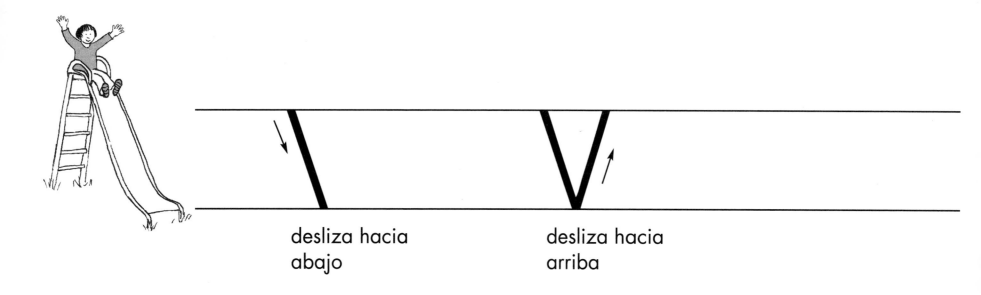

desliza hacia
abajo

desliza hacia
arriba

Empieza en el punto. Copia V.

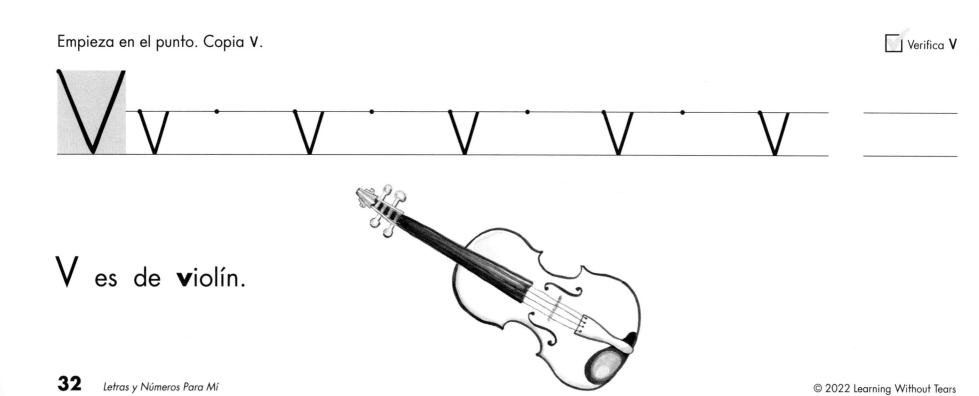

V es de **v**iolín.

 V

 W

desliza hacia abajo
y hacia arriba

desliza hacia abajo
y hacia arriba

Empieza en el punto. Copia **W**.

 W W W W W

W es de **w**affle.

baja
choca

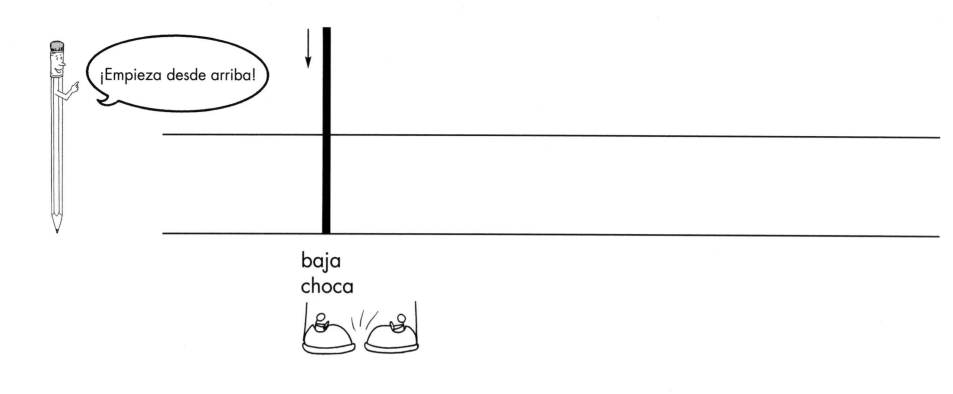

Empieza en el punto. Copia l.

Verifica l

L es de lagartija.

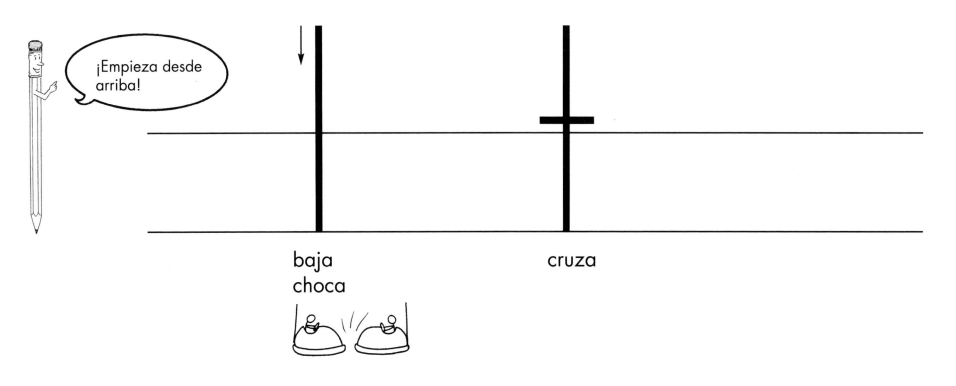

¡Empieza desde arriba!

baja
choca

cruza

Empieza en el punto. Copia t.

Verifica t

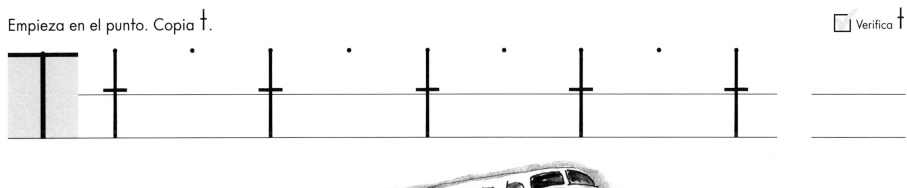

T es de tren.

cruza   desliza hacia abajo   cruza

Empieza en el punto. Copia Z.

Verifica Z

Z Z Z Z Z Z Z

Z es de **z**orrillo.

Copia las palabras.

soIo

coI

COCO

voto

costo

voz

 Verifica **COCO**

Verifica **VOZ**

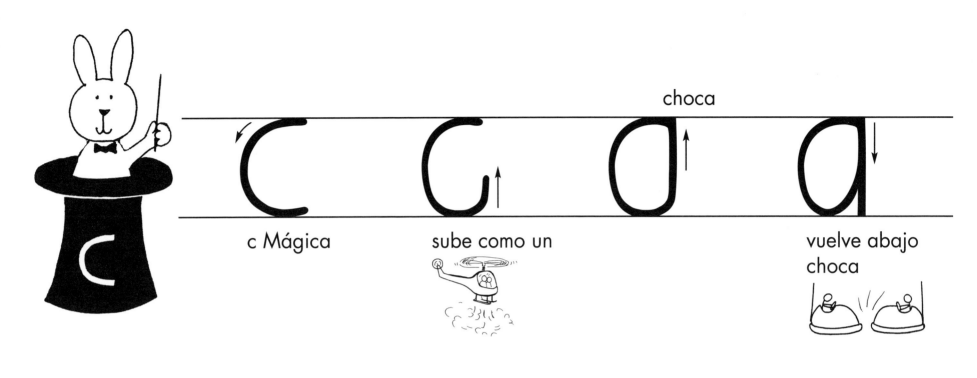

choca

c Mágica

sube como un

vuelve abajo
choca

Empieza en el punto. Copia a y á.

A a · á · a · á · a

A es de **a**vión.

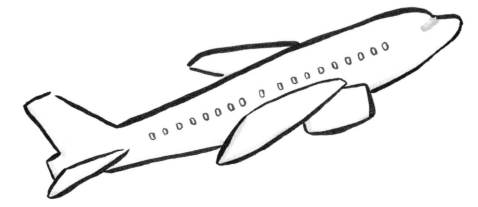

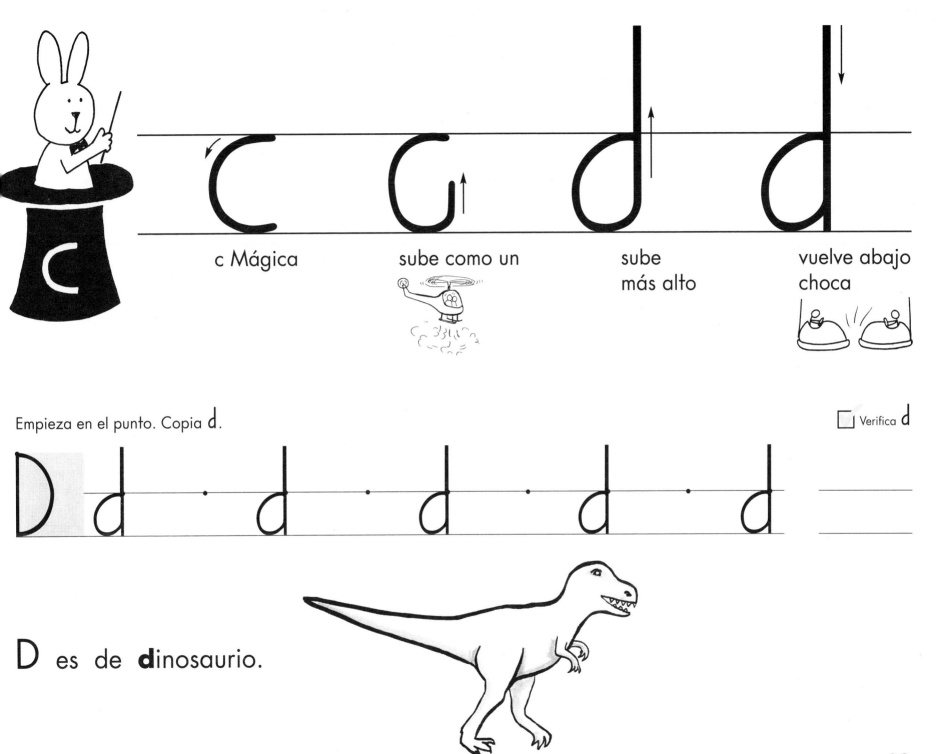

c

c Mágica

G

sube como un

d

sube
más alto

d

vuelve abajo
choca

Empieza en el punto. Copia d.

D es de **d**inosaurio.

choca

c Mágica

sube como un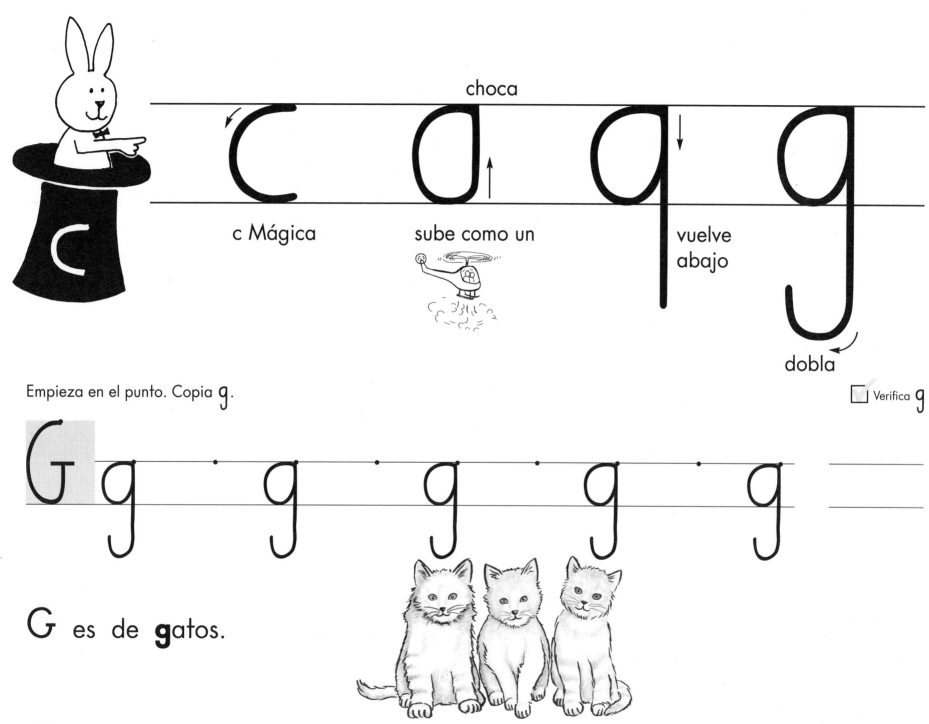

vuelve abajo

dobla

Empieza en el punto. Copia g.

Verifica g

G   g   g   g   g   g

G es de **g**atos.

Letras de la c Mágica

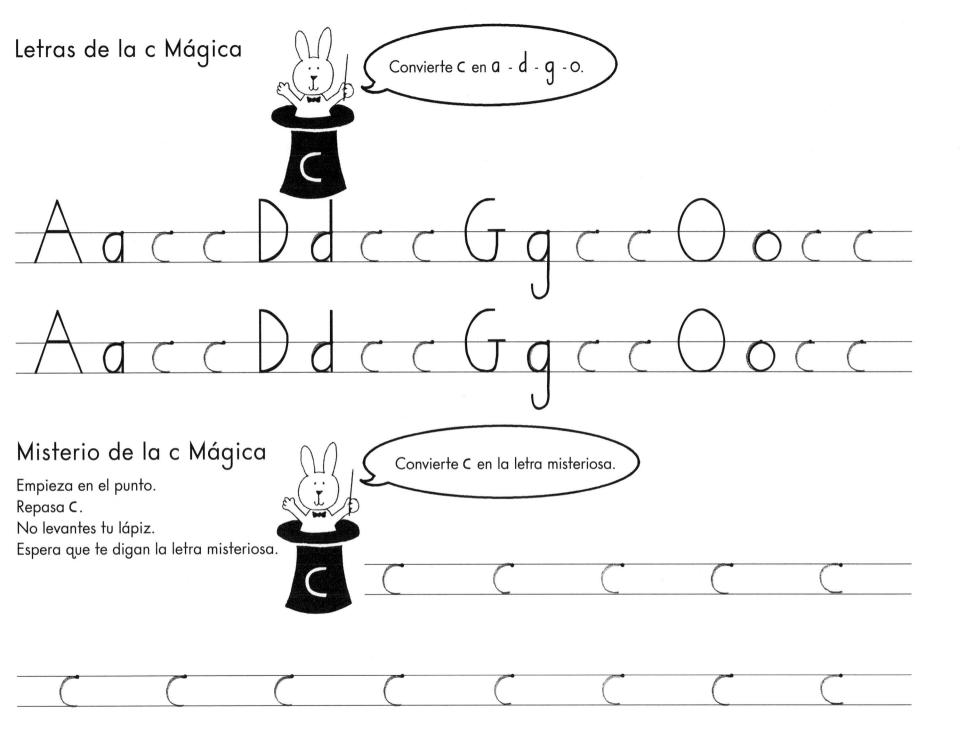

Convierte C en a - d - g - o.

A a c c D d c c G g c c O o c c

A a c c D d c c G g c c O o c c

Misterio de la c Mágica

Empieza en el punto.
Repasa C.
No levantes tu lápiz.
Espera que te digan la letra misteriosa.

Convierte C en la letra misteriosa.

Actividad con las Manos

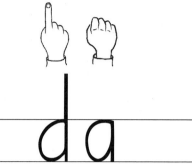

vos

da

lago

pequeña

alta

descendente

taza

gol

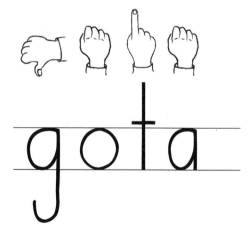

gota

Oraciones para Mí

Copia las oraciones.

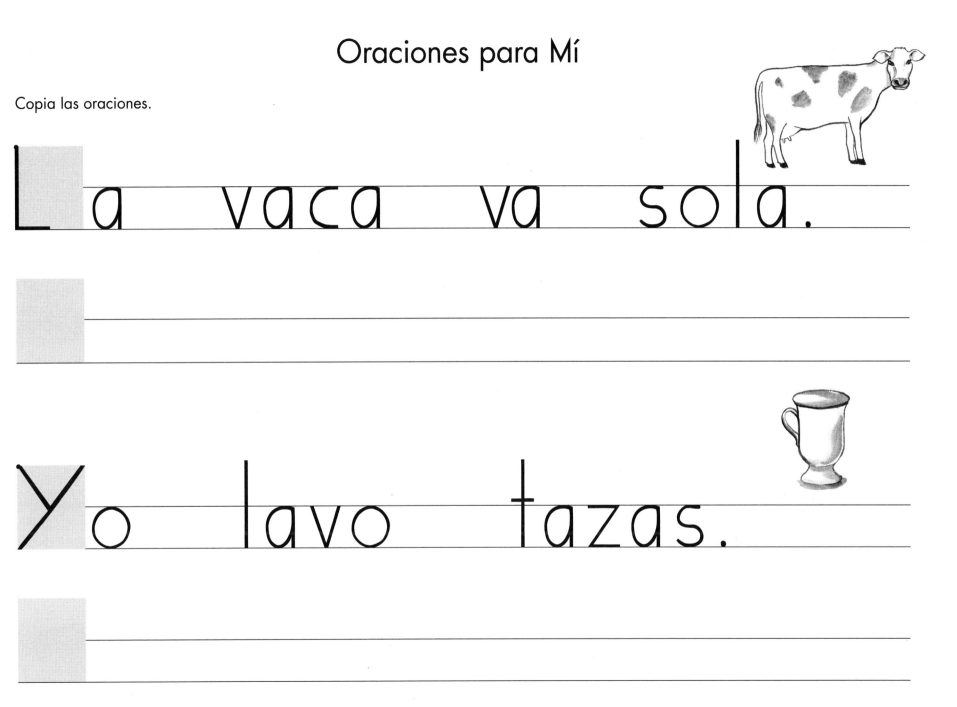

La vaca va sola.

Yo lavo tazas.

☐ Verifica la oración

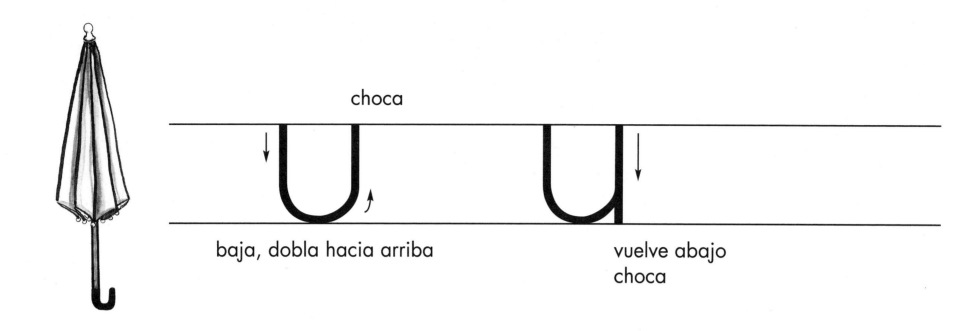

choca

baja, dobla hacia arriba

vuelve abajo
choca

Empieza en el punto. Copia u y ú.

U u · ú · u · ú · u

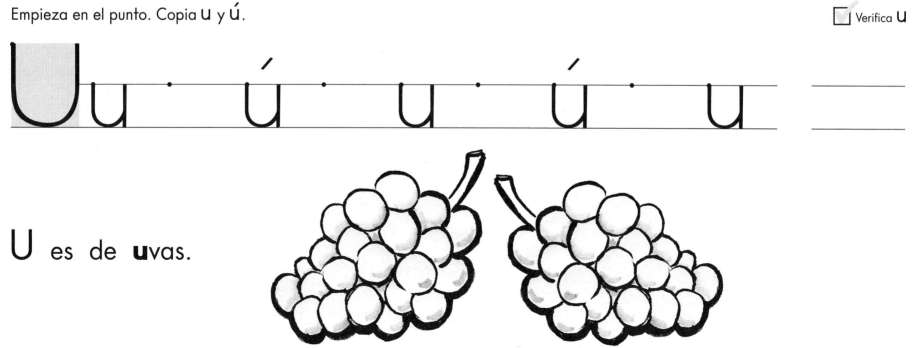

U es de **u**vas.

Copia las palabras.

Palabras para Mí

azul

agua

uvas

Verifica uvas

Copia la oración.

Oración para mí

Kudo   da   saltos.

Verifica la oración

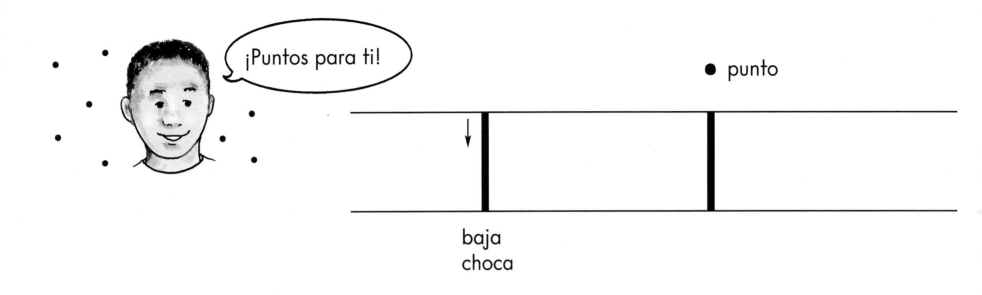

¡Puntos para ti!

• punto

baja
choca

Empieza en el punto. Copia i y í.

☑ Verifica i

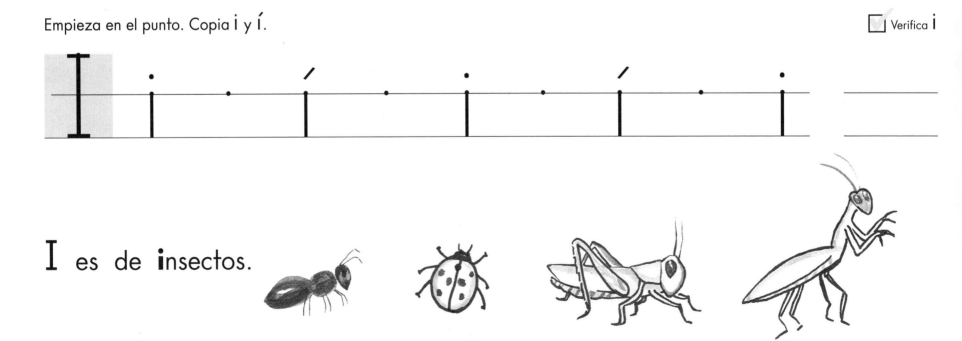

I es de insectos.

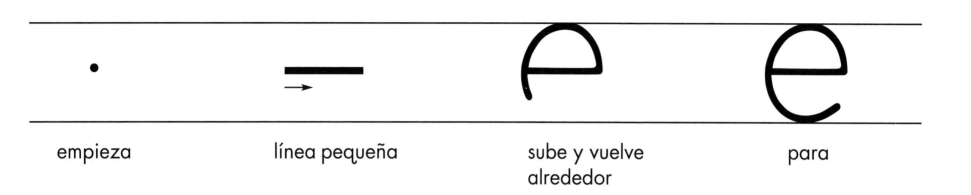

empieza   línea pequeña   sube y vuelve   para
alrededor

Empieza en el punto. Copia e y é.   ☐ Verifica e

E es de **e**scu**e**la.

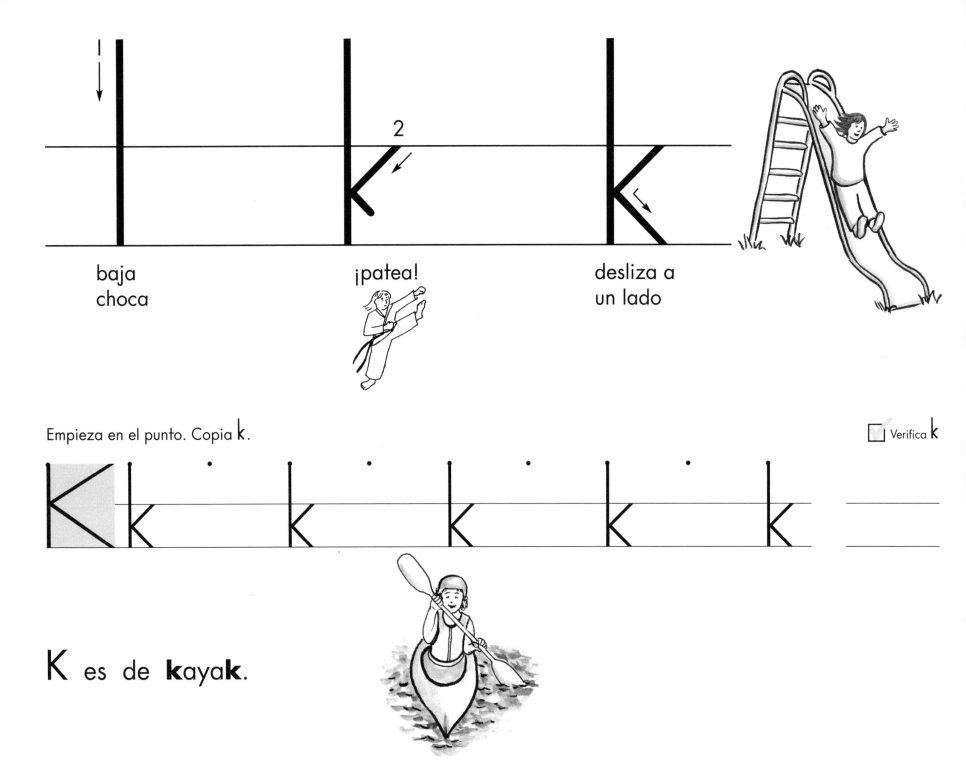

baja
choca

¡patea!

desliza a
un lado

Verifica k

K es de **k**aya**k**.

Copia las palabras.

Palabras para Mí

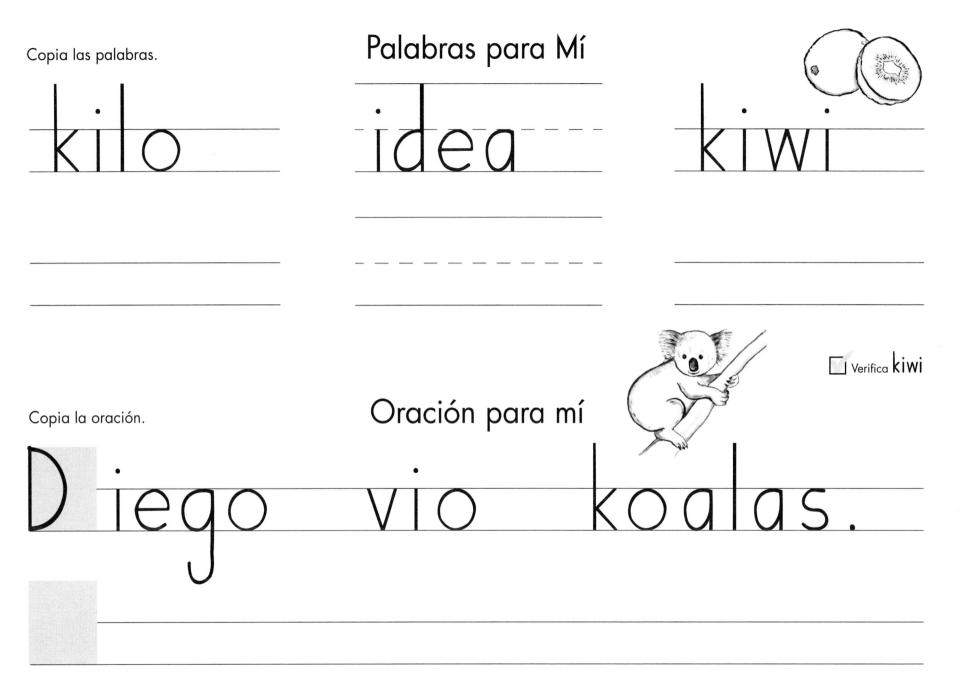

kilo

idea

kiwi

☐ Verifica **kiwi**

Copia la oración.

Oración para mí

Diego vio koalas.

☐ Verifica la oración

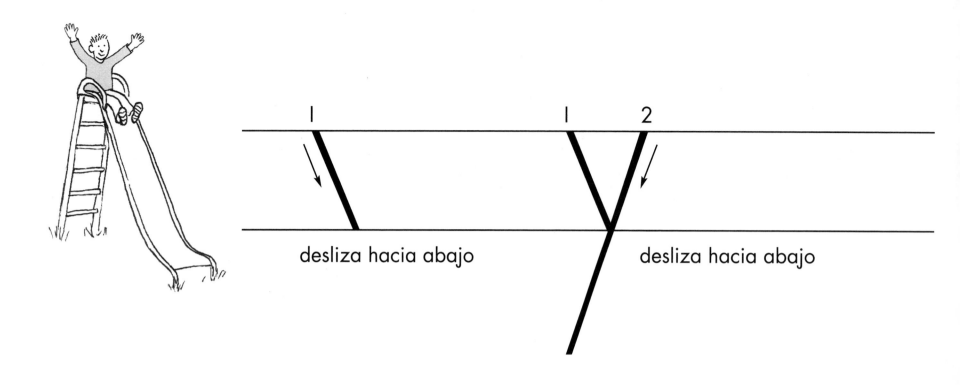

1   1   2

desliza hacia abajo   desliza hacia abajo

Empieza en el punto. Copia y.

☑ Verifica y

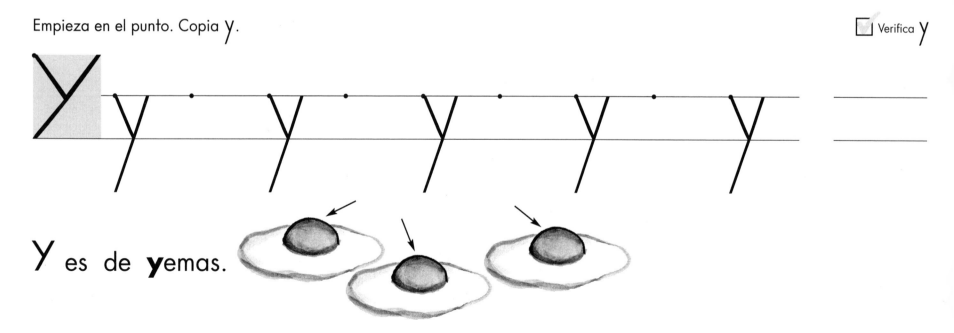

Y es de **y**emas.

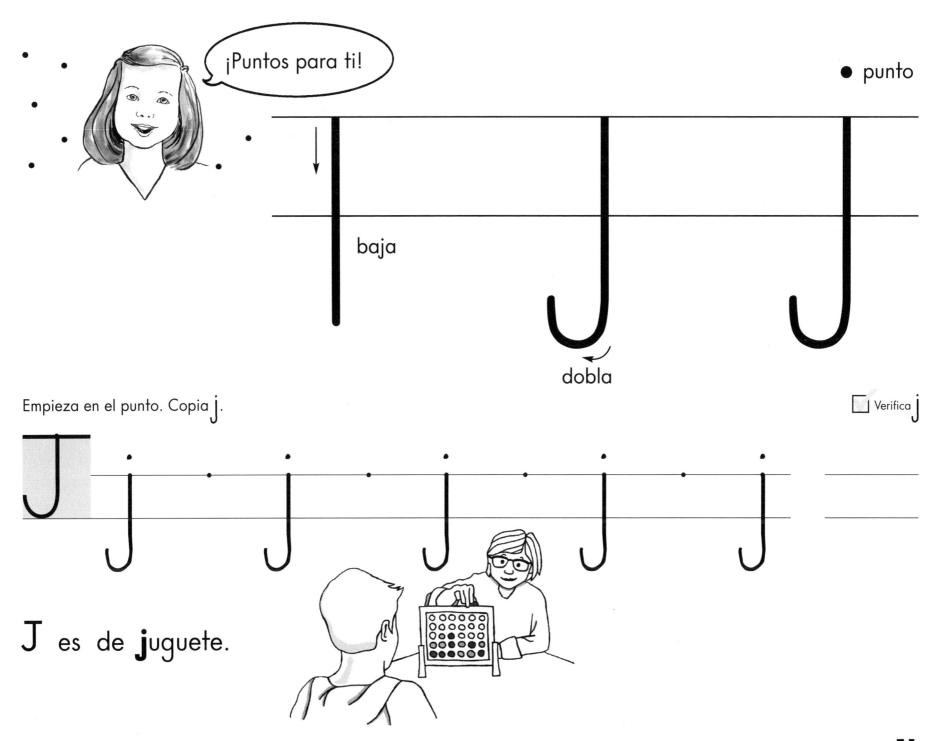

¡Puntos para ti!

● punto

baja

dobla

Empieza en el punto. Copia j.

☐ Verifica j

J es de **j**uguete.

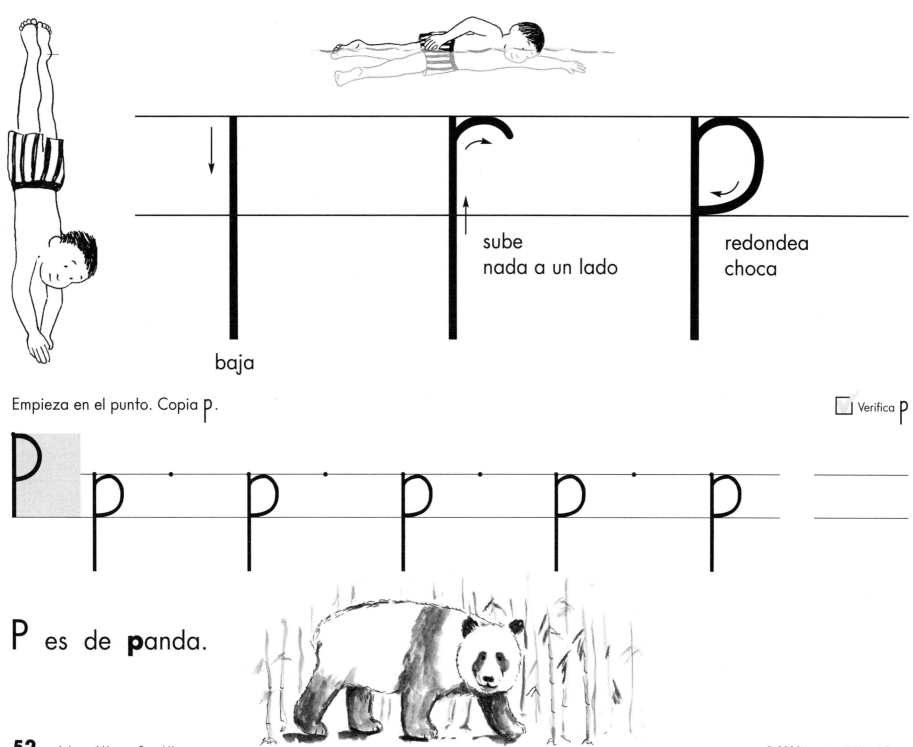

baja

sube
nada a un lado

redondea
choca

Empieza en el punto. Copia p.

☑ Verifica p

P es de **p**anda.

Copia las palabras.

Palabras para Mí

pie

yak

pez

Verifica **pez**

Copia la oración.

Oración para mí

Yo juego pelota.

Verifica la oración

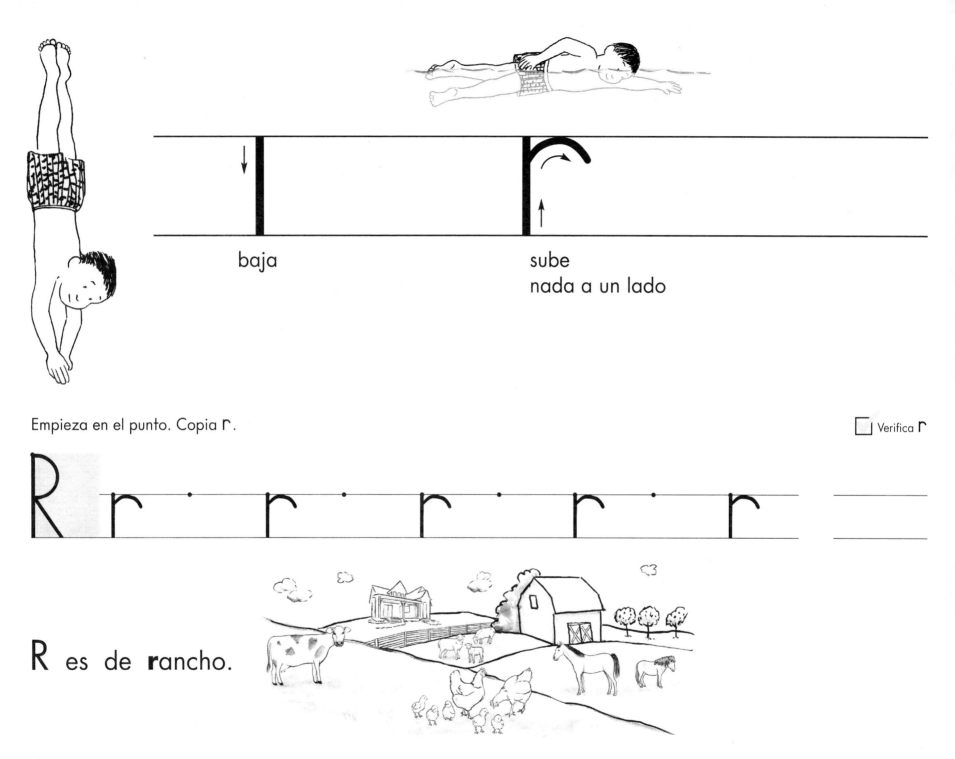

baja

sube
nada a un lado

Empieza en el punto. Copia r.

R r · r · r · r · r · r · r

R es de **r**ancho.

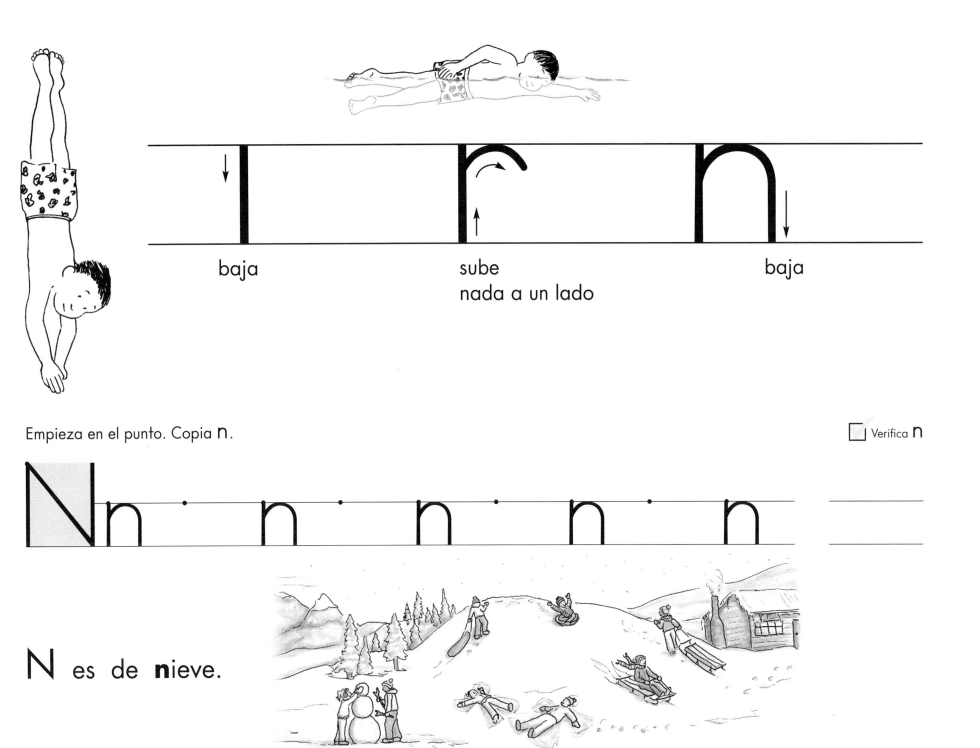

baja

sube
nada a un lado

baja

Empieza en el punto. Copia n.

Verifica n

Nn   n   n   n   n

N es de **n**ieve.

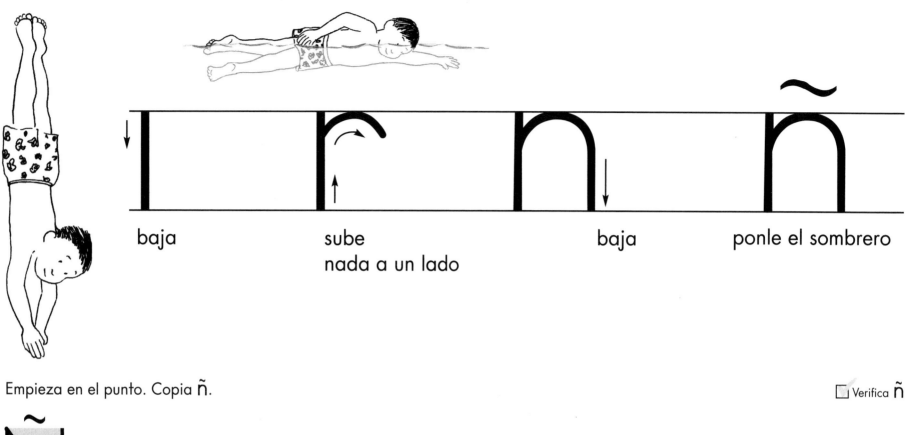

| baja | sube
nada a un lado | baja | ponle el sombrero |

Empieza en el punto. Copia ñ.

Ñ es de pi**ñ**ata.

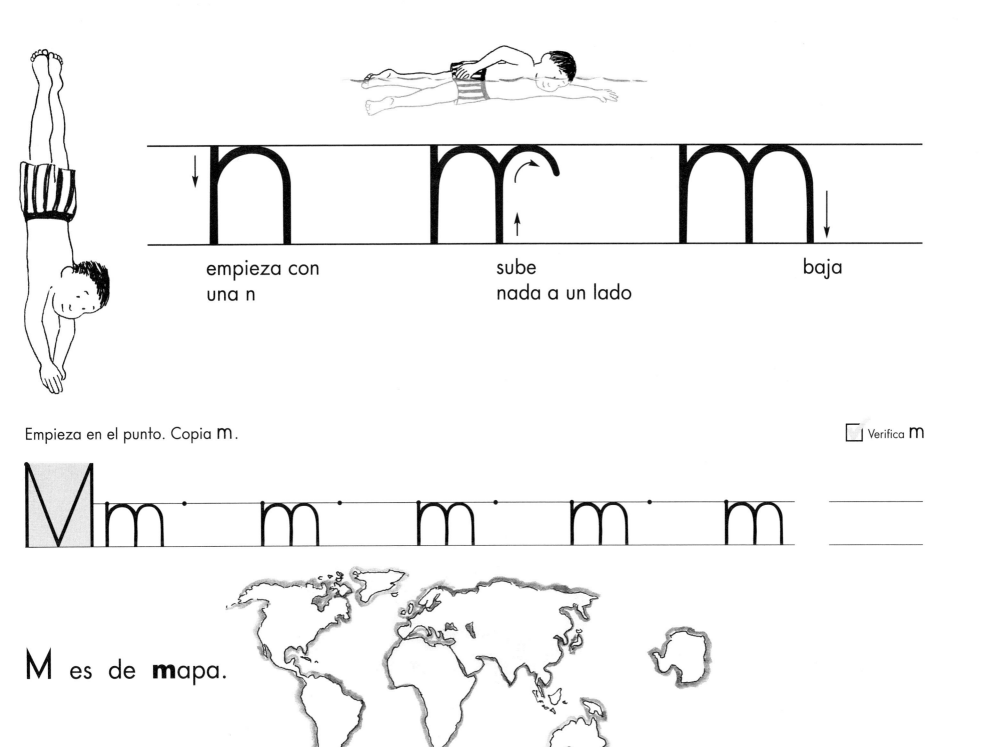

empieza con
una n

sube
nada a un lado

baja

Empieza en el punto. Copia m.

Mm · m · m · m · m

M es de **m**apa.

Letras y Números Para Mí **57**

Copia las palabras.

Palabras para Mí

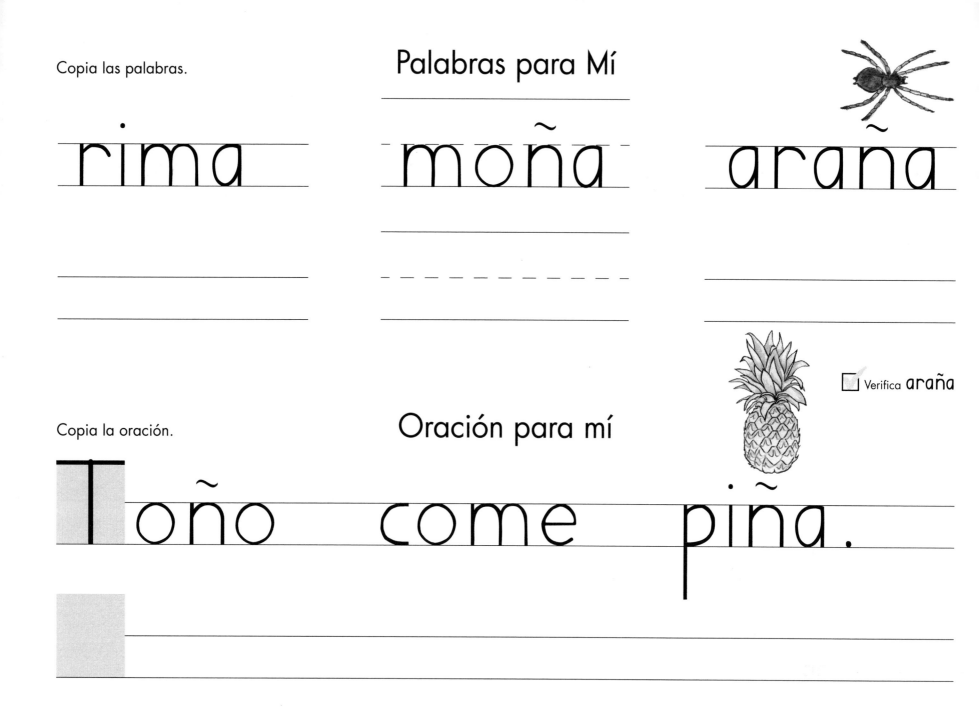

rima   moña   araña

Verifica **araña**

Copia la oración.

Oración para mí

Toño come piña.

Verifica la oración

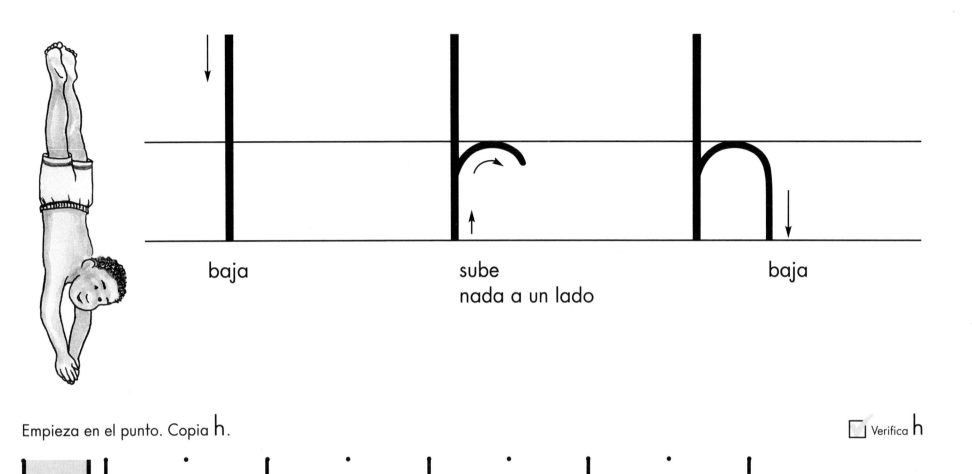

baja

sube
nada a un lado

baja

Empieza en el punto. Copia h.

H es de **h**ormigas.

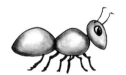 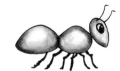 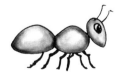

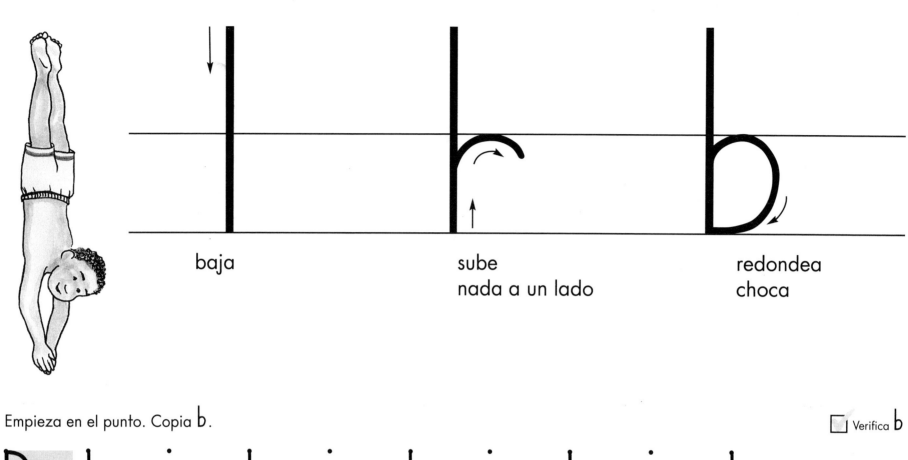

baja

sube
nada a un lado

redondea
choca

Empieza en el punto. Copia b.

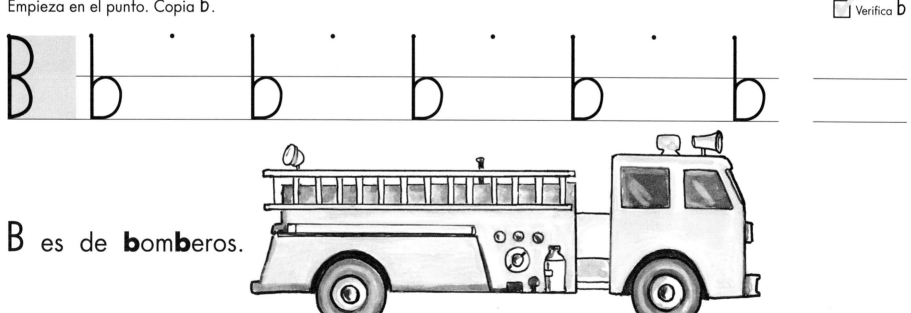

B es de **b**om**b**eros.

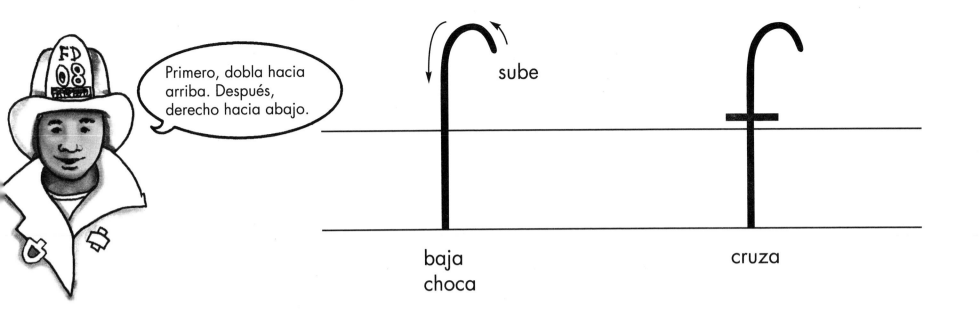

Primero, dobla hacia arriba. Después, derecho hacia abajo.

sube

baja
choca

cruza

Empieza en el punto. Copia f.

Verifica f

F es de **f**oca.

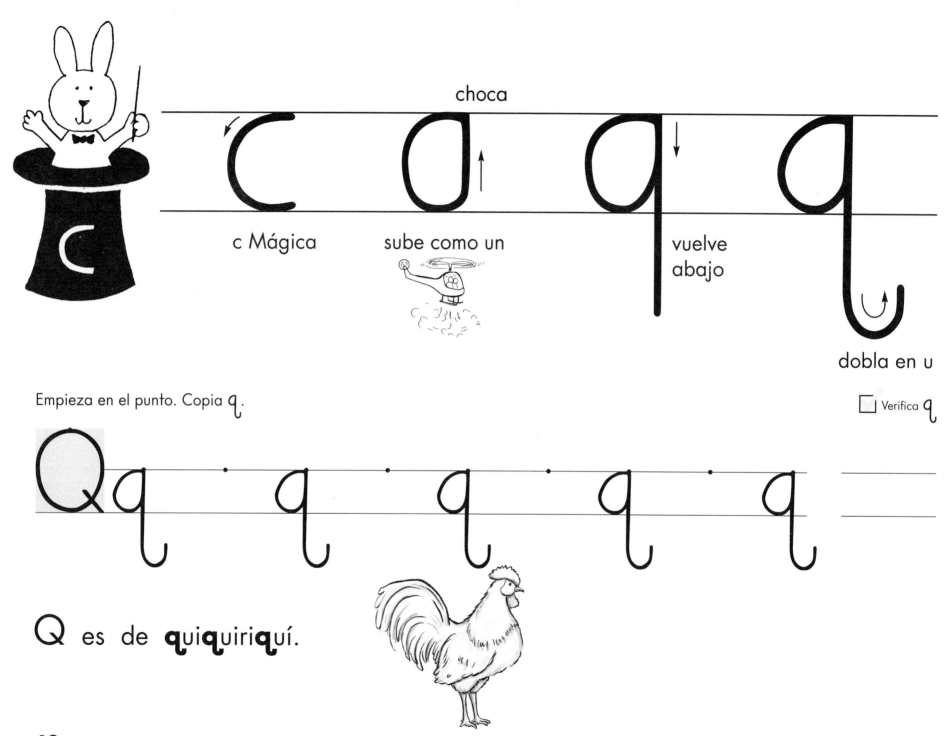

choca

c

o

q

q

c Mágica

sube como un

vuelve
abajo

dobla en u

Empieza en el punto. Copia q.

☐ Verifica q

Q q q q q q

Q q q q q

Q es de **q**ui**q**uiri**q**uí.

Copia las palabras.

bife

Palabras para Mí

flan

barco

☑ Verifica **barco**

Copia la oración.

Oración para mí

Anoche vi fútbol.

☐ Verifica la oración

Letras y Números Para Mí **63**

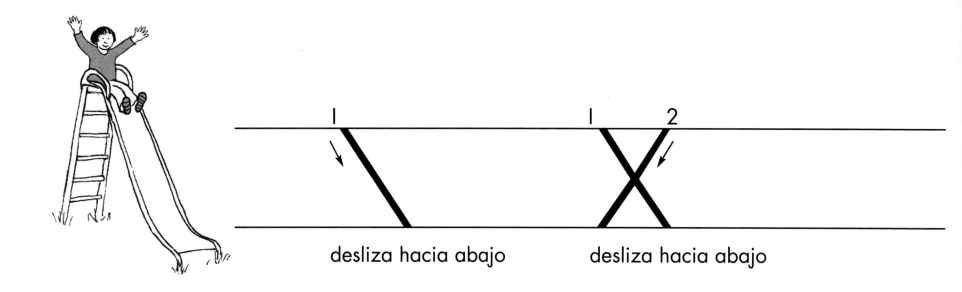

1

1 2

desliza hacia abajo

desliza hacia abajo

Empieza en el punto. Copia **X**.

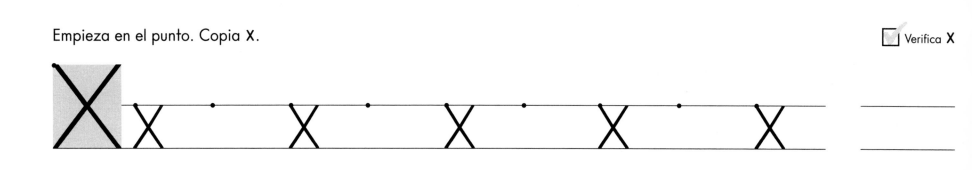

X es de **x**ilófono.

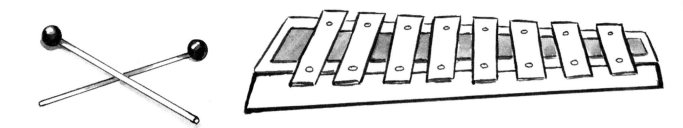

Copia las palabras.

Palabras para Mí

extra

éxito

zorro

☑ Verifica **zorro**

Copia la oración.

Oración para mí

Maxi es flexible.

☑ Verifica la oración

IDENTIFICANDO

Copia.

MAT MAN®

cabeza

oreja

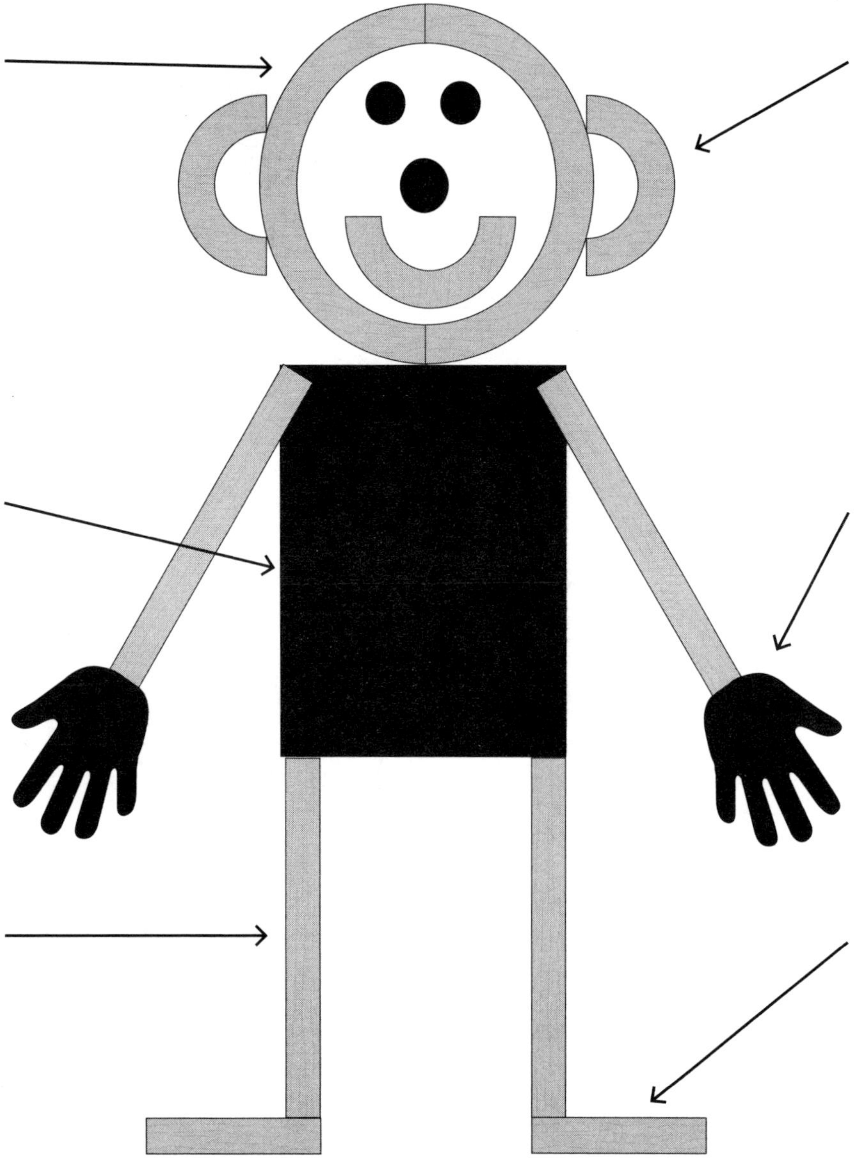

cuerpo

mano

pierna

pie

☑ Verifica **pie**

ORACIONES

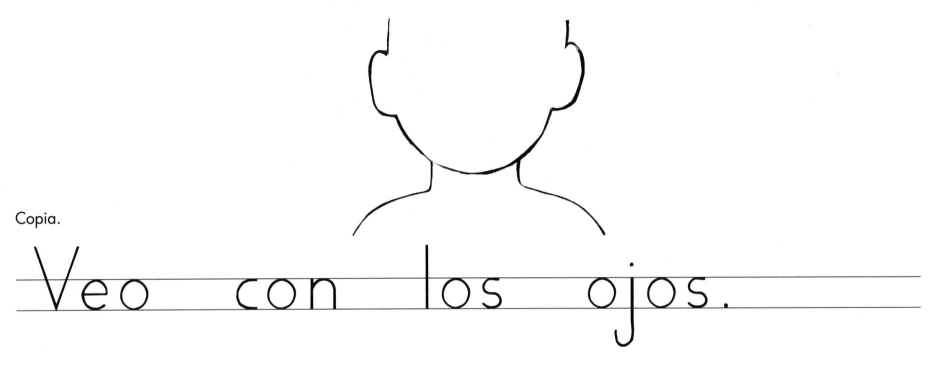

Copia.

Veo con los ojos.

Oigo con mis oídos.

Tiranosaurio

Ti - ra - no - sau - rio

Copia.

Silabear dinosaurios

es algo fabuloso.

Verifica la oración

Copia.

El piano usa letras.

Ellas son: ABCDEFG.

☑ Verifica la oración

IDENTIFICANDO

Copia.

caja

cabina

motor

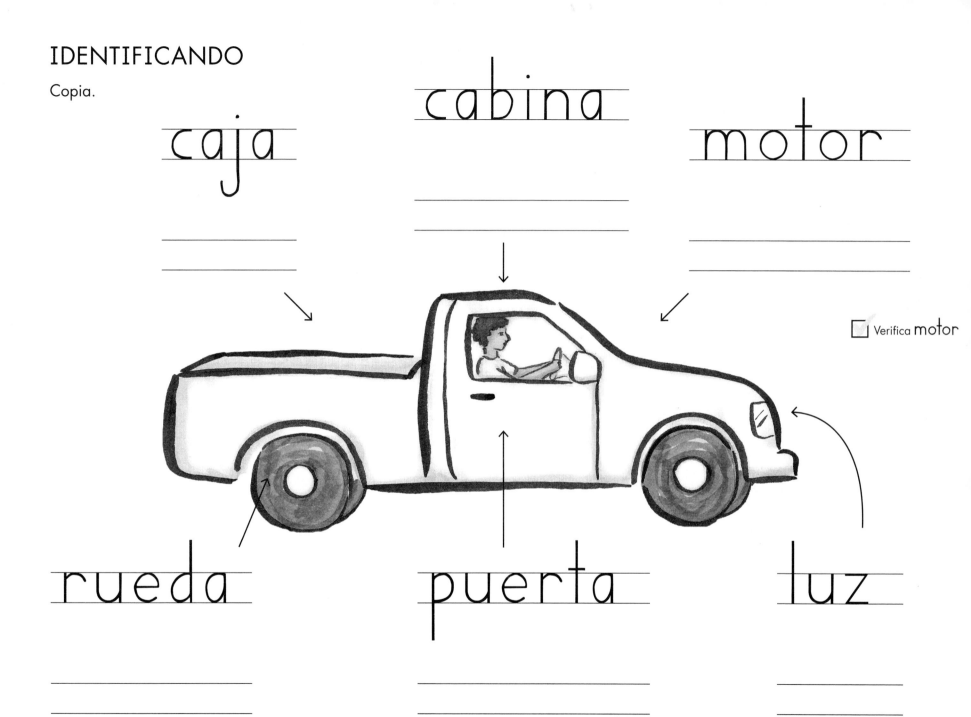

Verifica motor

rueda

puerta

luz

ORACIONES

CAMIÓN MEZCLADOR   CAMIÓN REMOLCADOR   CAMIONETA

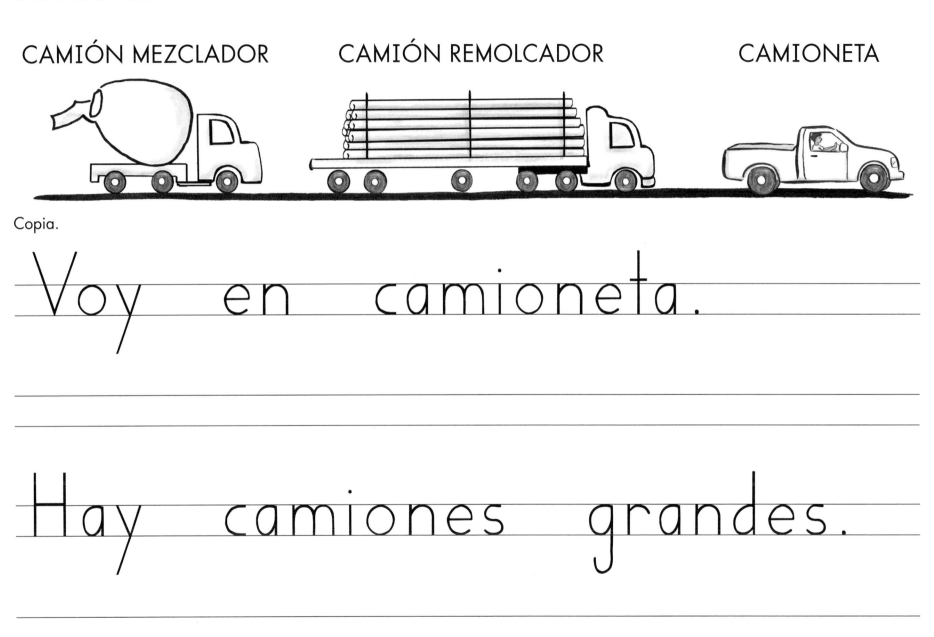

Copia.

Voy en camioneta.

Hay camiones grandes.

☐ Verifica la oración

PUNTUACIÓN

Copia los signos de puntuación.

Puntos

Signos de interrogación

Signos de exclamación

Copia las oraciones dentro de las 3 líneas.

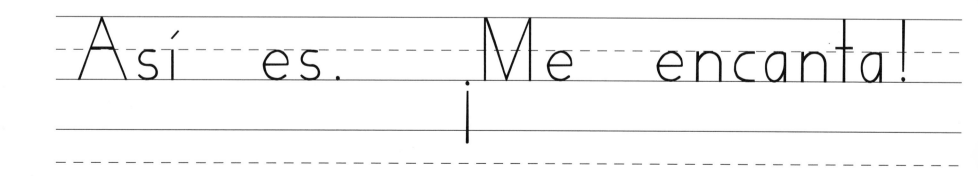

¿Estás escribiendo?

Así es. ¡Me encanta!

☑ Verifica la oración

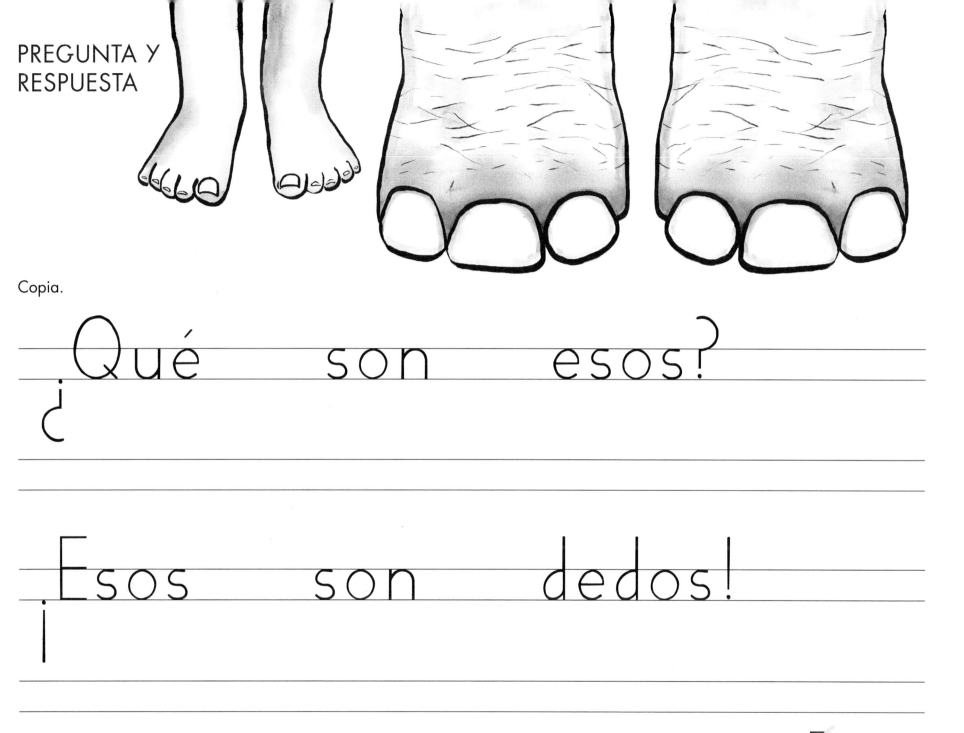

Copia.

¡Qué son esos?

¡Esos son dedos!

□ Verifica la oración

PALABRAS

Empieza en el punto. Copia las palabras.

PARE   CRUCE

ESCOLARES

ESCOLARES

PÁRRAFO

Copia.

Subo al bus. Voy con

mis amigos. Nos bajamos.

VOCALES

a e i o u

Agrega las vocales.

a

e

i

o

u

g_to

p_z

m_el

h_ja

t_z

r_n_

t_ón

n_do

p_ll_

b_rro

Copia.

¿Adónde va el camello?

¿

Va al desierto.

RIMAS

Copia las rimas.

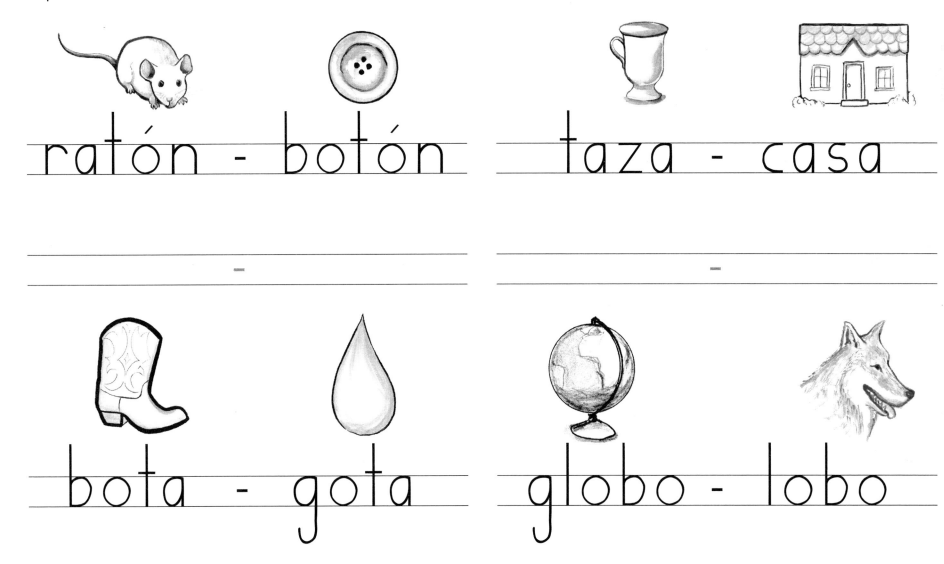

ratón - botón

taza - casa

_____ - _____

bota - gota

globo - lobo

_____ - _____

Verifica lobo

POEMA

Una Araña

¡Pista, pista!

Araña lista,

¡Hasta la vista!

☐ Verifica la oración

COMPARANDO

seis patas

insectos

dos piernas

persona

Completa las oraciones.

Abejas son

Tienen

Yo soy una

Yo tengo

ORACIONES

1.   2.   3.

Mira al maestro.

1. Oímos la alarma.

Copia.

2. Formamos una fila.

Escucha al maestro y completa la oración.

3. Vamos

☐ Verifica la oración

El maestro dicta: Vamos afuera.

Copia los saludos.

Tanya dice, " "

Ming dice, " "

Ramona dice, " "

Pierre dice, " "

Números sobre la Pizarra

Maestro escribe el 4 con tiza

Alumno moja el 4 con una esponja pequeña

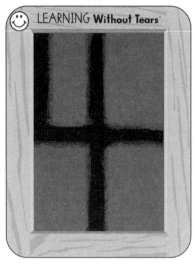

MOJAR

Alumno seca el 4 con papel absorbente

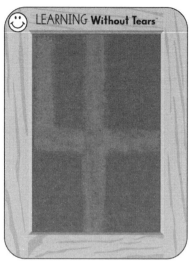

SECAR

Alumno escribe el 4 con tiza

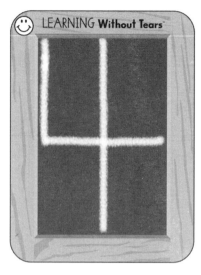

INTENTAR

Números sobre Bloques Grises

Maestro demuestra. Alumno imita.

       8 9 10

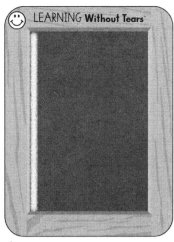

LÍNEA GRANDE

Yo puedo escribir l.

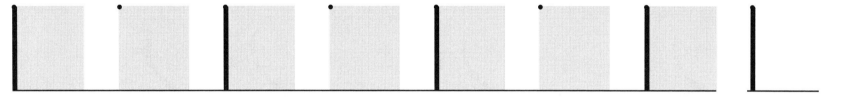

Yo puedo contar hasta l.

corredor número uno

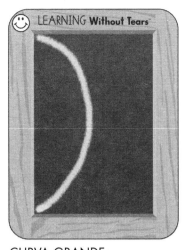

CURVA GRANDE

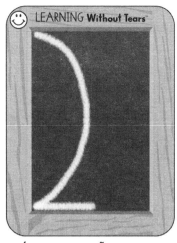

+ LÍNEA PEQUEÑA

dos pingüinos

Yo puedo escribir 2.

 Verifica 2

Yo puedo contar hasta 2.

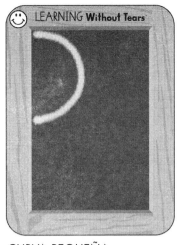

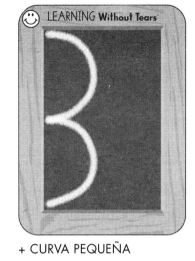

CURVA PEQUEÑA   + CURVA PEQUEÑA

tres triángulos

Yo puedo escribir 3.

Yo puedo contar hasta 3.

      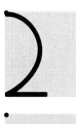   

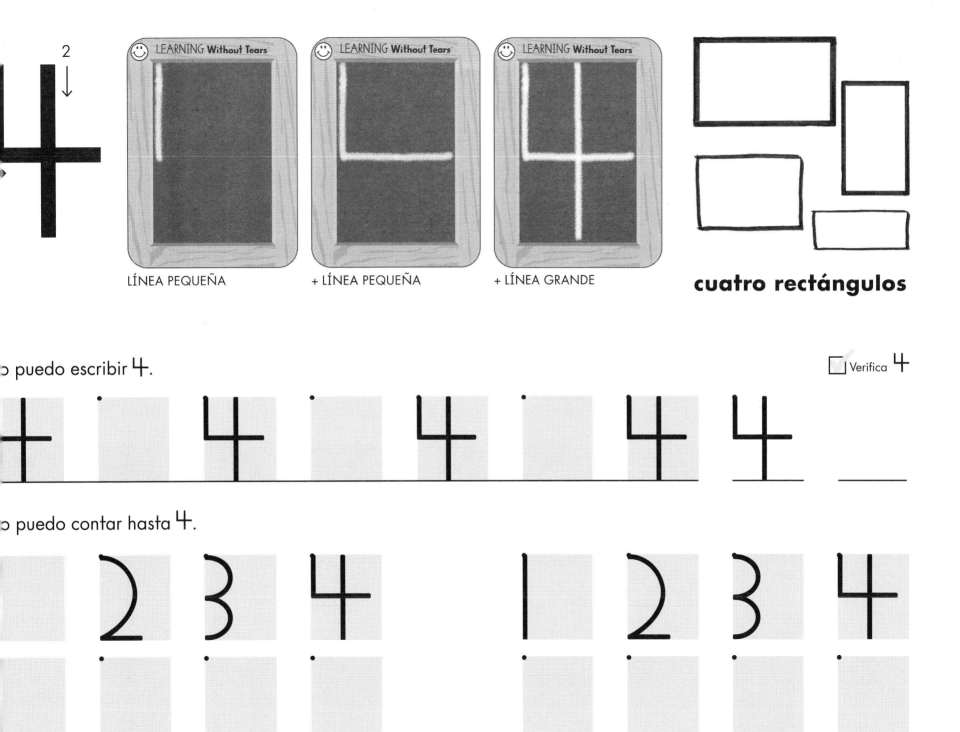

4

2↓

LÍNEA PEQUEÑA + LÍNEA PEQUEÑA + LÍNEA GRANDE

cuatro rectángulos

puedo escribir 4.

☑ Verifica 4

puedo contar hasta 4.

2 3 4   1 2 3 4

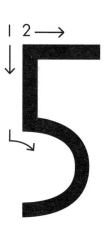

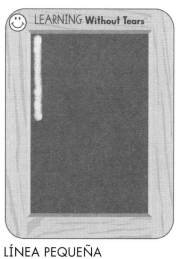  

LÍNEA PEQUEÑA   + CURVA PEQUEÑA   + LÍNEA PEQUEÑA

cinco estrellas de mar

Yo puedo escribir 5.

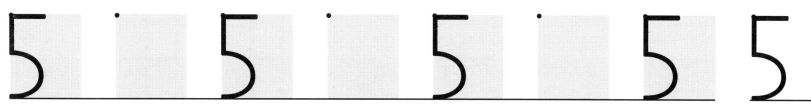

Yo puedo contar hasta 5.

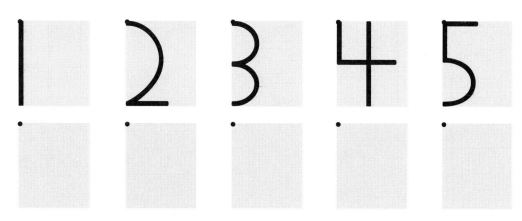

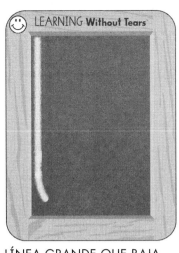

LEARNING **Without Tears**

LEARNING **Without Tears**

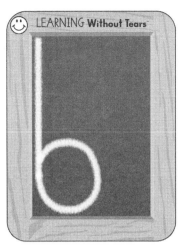

LÍNEA GRANDE QUE BAJA

+ SE ENROSCA
EN LA ESQUINA

seis copos de nieve

puedo escribir b.

☐ Verifica b

b   b   b   b   _____

puedo contar hasta b.

2   3   4   5   6

LÍNEA PEQUEÑA   + LÍNEA GRANDE

siete plantas de papa

Yo puedo escribir 7.

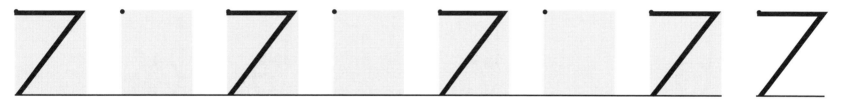

Yo puedo contar hasta 7.

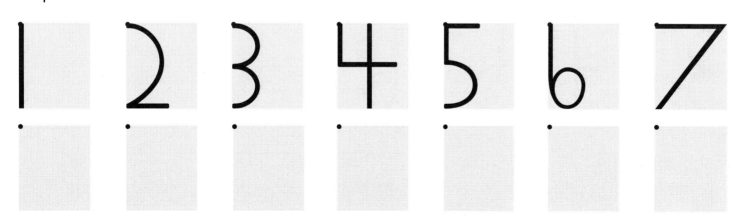

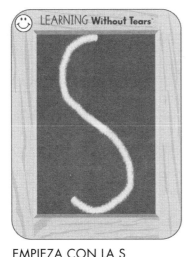

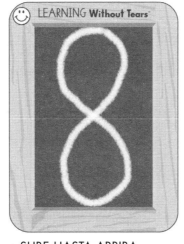

EMPIEZA CON LA S

+ SUBE HASTA ARRIBA

ocho arañitas

puedo escribir 8.

☐ Verifica 8

8   8   8   8   8

puedo contar hasta 8.

  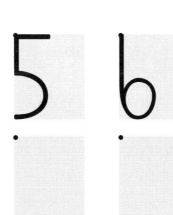  

2   3   4   5   6   7   8

9

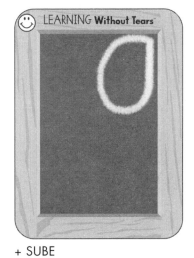

CURVA PEQUEÑA   + SUBE   + LÍNEA GRANDE

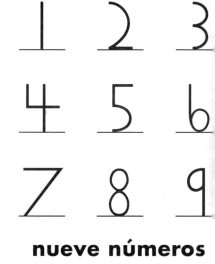

nueve números

Yo puedo escribir 9.

☐ Verifica

9   9   9   9   9

Yo puedo contar hasta 9.

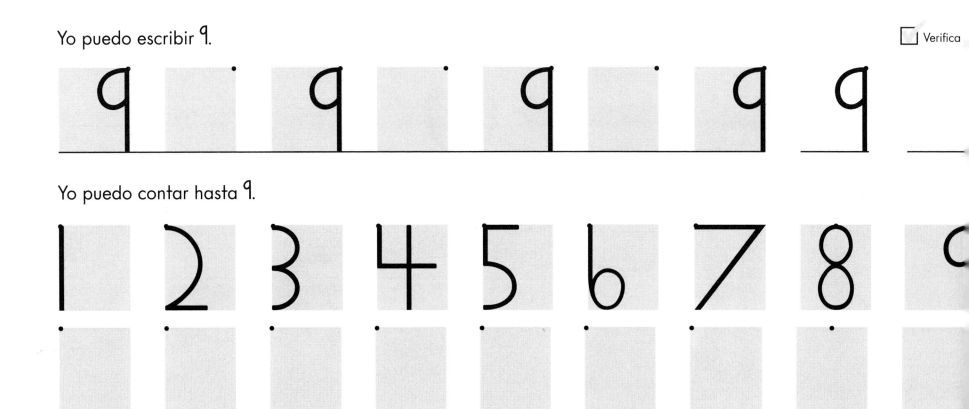

LÍNEA GRANDE

+ CURVA GRANDE
+ Y DA TODA LA VUELTA

diez vasos

puedo escribir 10.

☐ Verifica 10

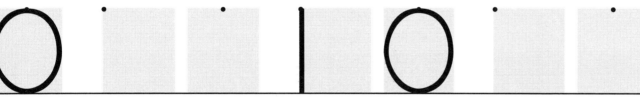

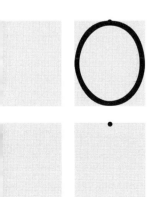

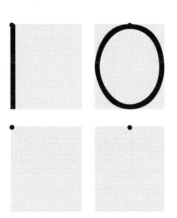

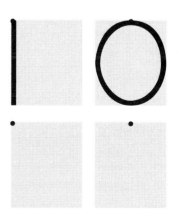

Letras y Números Para Mí **93**

Números para Mí

Puedo escribir y contar del 1 al 10.

1

2

3

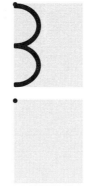

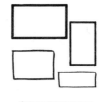

4

5

6

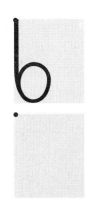

7

8

9

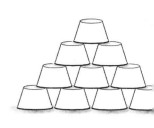

10

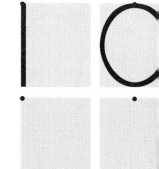